Alliance

© 2006 Éditions S.O.I.S
24580 PLAZAC

Infographie couverture : Édith Casadei

ISBN 2-9514674-3-5

Anne Givaudan

Alliance

ÉDITIONS S.O.I.S.

À tous ceux qui aiment sans attente,
qui donnent sans espoir de retour,
qui vivent leur Vie comme une pièce de théâtre
où ils jouent au mieux de leurs possibilités.
À Antoine Achram mon compagnon de Vie
qui par sa patience, son humour et son amour
a permis à cet ouvrage de se concrétiser dans la matière.

D'ANNE GIVAUDAN

- VOYAGER ENTRE LES MONDES*
- LA MAGICIENNE ET LA PETITE FILLE*
- DES AMOURS SINGULIÈRES*
- SONS ESSÉNIENS (CD INCLUS)*
- PETIT MANUEL POUR UN GRAND PASSAGE*
- PRATIQUES ESSÉNIENNES POUR UNE NOUVELLE TERRE*
- RENCONTRE AVEC LES ÊTRES DE LA NATURE*
- L'INSOUPÇONNABLE DESTIN DE GINA SUTTON*
- NOS MÉMOIRES : DES PRISONS OU DES AILES*
- LA RUPTURE DE CONTRAT*
- FORMES-PENSÉES (tome 1 et 2)*
- LES DOSSIERS SUR LE GOUVERNEMENT MONDIAL*
- LECTURE D'AURAS ET SOINS ESSÉNIENS*
- ALLIANCE*
- WALK-IN*
- COMPACT DISCS DE MÉDITATIONS GUIDÉES* :
Formes-Pensées — Voyage vers Soi —Alliance galactique — 5ᵉ Dimension

D'ANNE GIVAUDAN ET DANIEL MEUROIS

- TERRE D'ÉMERAUDE * — *Témoignage d'outre-corps*
- PAR L'ESPRIT DU SOLEIL*
- CHRONIQUE D'UN DÉPART* — *Afin de guider ceux qui nous quittent*
- CELUI QUI VIENT*
- SOIS* — *Pratiques pour être et agir*
- LES NEUF MARCHES*
- RÉCITS D'UN VOYAGEUR DE L'ASTRAL**
- DE MÉMOIRE D'ESSÉNIEN (tome 1)** — *L'autre visage de Jésus*
- CHEMINS DE CE TEMPS-LÀ (tome 2)** — *De mémoire d'Essénien*
- LE PEUPLE ANIMAL**
- LE VOYAGE À SHAMBHALLA*** — *Un pèlerinage vers Soi*
- WESAK*** — *L'heure de la réconciliation*

* Éditions S.O.I.S. — ** Éditions Le Passe-Monde — *** Éditions Le Perséa

Éditions S.O.I.S. – 24580 PLAZAC
Tél : 05 53 51 19 50 – editions@sois.fr - www.sois.fr

Sommaire

Prologue *11*

Chapitre 1 - Le départ 13

Chapitre 2 - La salle des informations 23

Chapitre 3 - Au-delà de l'espace et du temps 39

Chapitre 4 - La voie du cœur 53

Chapitre 5 - La planète-enjeu 67

Chapitre 6 - La face cachée de la lune 79

Chapitre 7 - Une curieuse salle d'attente 95

Chapitre 8 - Un enfant très particulier 117

Chapitre 9 - Djarwa et Sumalta 133

Chapitre 10 - À l'école des Sages 145

Chapitre 11 - Le passage 163

Chapitre 12 - Futurs parents 175

Chapitre 13 - Le Conseil des douze 191

Chapitre 14 - Nourritures subtiles 209

Chapitre 15 - Écologie Interplanétaire 225

Chapitre 16 - Couple et sexualité 237

Chapitre 17 - Mémoires et guérison 259

Épilogue - Ultime voyage 285

Prologue

Les expériences relatées à travers cet ouvrage n'ont pas été vécues en une fois. En effet, il a fallu plusieurs mois et de nombreux contacts pour que ce livre puisse voir le jour. Cependant pour en faciliter la lecture, je ne parle pas des différents allers-retours nécessités pour ces rencontres.

Je me suis bien souvent demandée si je saurais retranscrire, avec les mots qui sont à notre portée, tout ce qui m'était dit lors de ces voyages... Décrire une énergie, des couleurs, des sons et parler de notions pour lesquelles aucun vocabulaire n'existe, est pour moi un exercice de haute voltige.

Je sais cependant que ces êtres qui m'ont servi de guides pendant tous ces mois, me font confiance comme ils l'ont toujours fait et que le lecteur saura ressentir ce qui ne peut être traduit.

Je ne crains pas les détracteurs car ils sont aussi en nous, dans cette partie de nous qui n'aime pas que l'ordre établi soit bousculé et que de nouvelles idées fassent surface.

Je souhaite simplement que ceux qui me liront puissent en retenir l'Essence et en illuminer leur quotidien à travers les actes les plus insignifiants de leur Vie... Cette Vie qui vaut la peine d'être vécue avec ses hauts et ses bas, ses tristesses et ses joies qui poursuivent le même objectif : Nous Apprendre à Aimer.

Anne Givaudan.

Chapitre 1

Le départ

Ce soir, je sais qu'un événement important se prépare pour moi...

Comme toutes les fois où un contact de ce type se produit, une partie de moi, la plus consciente, la plus vivante va quitter cette enveloppe de chair que j'habite depuis quelques années et avec laquelle j'essaie de cohabiter au mieux... Cette fois cependant, la sensation est différente, plus dense, plus « physique ».

Des épaisseurs me traversent à une vitesse inimaginable qui me précipitent dans un brouillard laiteux, des sons très cristallins, des ondes sonores tourbillonnantes m'entourent, m'enveloppent... La curieuse impression d'être aspirée dans l'œil d'un cyclone... Oui, c'est cela, du moins tel que je l'imagine, puisqu'aucun cyclone ne m'a jamais absorbée de cette façon, ni d'aucune autre d'ailleurs !

Un calme très profond accompagne cette ascension, tandis que mes yeux commencent à percevoir des formes à travers un brouillard qui peu à peu se dissipe.

À ma grande surprise il n'y a rien à voir ; un vide sans rien d'autre que moi et deux silhouettes qui se tiennent à quelques mètres de là. De ce lieu qui semble suspendu dans « rien », j'éprouve une paix presque palpable. Il est difficile de décrire avec des mots une telle sensation mais les sentiments de joie, de non-attente, d'accompli, d'infini et de juste sont presque tangibles.

« Bonjour ! Sois la bienvenue en ce lieu… ».

Au centre de mon crâne une voix aux intonations très légèrement féminines laisse couler ces mots.

À peine ont-ils été prononcés, que resurgissent de ma mémoire de très vieux souvenirs : l'intonation très particulière éveille en moi ce que les Esséniens avaient pour habitude de nommer « la voix de lait », utilisée par les plus habiles de leurs thérapeutes. C'est cette voix aux nuances étranges et modulées qui coule tels le lait et le miel pour panser les blessures, régénérer les âmes, apaiser ou dynamiser selon les nécessités.

La voix continue, interrompant le cours de mes réflexions…

« Tu es dans un lieu tout aussi réel que ce que tu peux connaître sur terre, il est simplement fait d'une matière légèrement différente, tu vas t'en rendre compte très vite.

L'espace dans lequel nous nous trouvons actuellement est comme un sas d'accès à ce que nous allons voir ensemble. C'est ce qui te donne cette étrange sensation de vide, de néant, mais il n'en est rien. »

L'être s'est tu et les quelques instants de silence qui suivent paraissent emplis de Vie, de paix.

Une autre voix, plus masculine cette fois, continue : « Nous ne sommes ni des guides ni des enseignants car de ceux-là vous avez déjà beaucoup. Nous aimerions simplement te montrer, à toi et à ceux qui te liront, autre chose que ce dont vous avez l'habitude sur terre… non pas parce que votre planète est en retard comme il a souvent été dit, non pas parce que vous êtes ignorants mais simplement parce que vous êtes à l'aube de grandes mutations, qui peuvent être le ferment d'une extraordinaire évolution. »

À son tour l'être s'arrête et je n'ai pas envie de poser de questions, d'interrompre par mon mental ce qui me paraît essentiel en cet instant. J'attends, et tout à coup, le vide dans lequel je me sentais devient une matrice ondoyante, vivante et colorée

Des parois semblables à un tissu soyeux prennent corps. Si je pouvais donner un nom de couleur à cette matière je dirais gris mais d'un gris clair, chatoyant, rien de triste dans tout cela.

Les deux êtres grands et minces dont je commence à découvrir le visage me sourient.

« Si tu l'acceptes, nous serons tes accompagnateurs pour te faire redécouvrir un monde qui n'est pas si éloigné de la terre que vous l'imaginez. »

Cette fois la voix plus masculine continue avec douceur : « Accepte simplement de décrire ce que tu vois d'un monde qui pourrait être sur terre, en beaucoup mieux encore, car votre planète en a toutes les possibilités. Comme nous te l'avons dit, nous ne sommes pas là pour vous donner des leçons. À ce jour, vous en avez beaucoup reçues.

Notre but est simplement de montrer qu'une autre réalité est possible pour peu que vous vouliez bien l'entrevoir et y contribuer. »

L'être plus *féminin* décrit alors un large cercle de la main qui laisse apparaître une ouverture dans une des parois gris bleuté de la pièce. Les deux silhouettes me font signe de les suivre, ce que je fais sans aucune crainte, piquée par la curiosité de ce que je vais découvrir. En passant la porte, je ressens un frisson. Rien de désagréable, bien au contraire, cette sensation ressemblerait davantage à ce que l'on peut éprouver sous une pluie fine et fraîche après une longue journée de voyage. La différence est que cette fois la douche est sans eau, ce sont des milliers de petites particules qui me parcourent de la tête aux pieds, accompagnées d'une bienfaisante régénération, d'un grand nettoyage sur tous les plans de mon être. Mes compagnons se sont aussi arrêtés sous cette « douche subtile » et sondant mon cœur l'un d'eux répond à ma question non formulée : « En effet, il s'agit bien là d'une douche subtile, *éthérique* pour être plus précis ; elle a pour but de nettoyer les enveloppes des corps et des âmes de tout parasitage venant de l'extérieur.

Tu aurais pu venir ici avec ton corps physique, il nous aurait simplement suffi de modifier très légèrement le niveau vibratoire ; mais il aurait de toute façon fallu que tu laisses ce dernier ici pour la deuxième partie du voyage. La sensation de densité que tu as ressentie lorsque tu as quitté ton corps était voulue, afin que tu ressentes presque physiquement ce *voyage*.

Le corps physique ne doit plus être considéré comme un obstacle pour atteindre le plus subtil ; il est une nécessité, même s'il peut être considérablement affiné par la qualité de l'âme qui l'habite. »

Les deux êtres reprennent leur marche tandis qu'en moi soudain un voile se déchire… une mémoire se réactive et je sais très précisément dès cet instant que nous sommes tous trois dans le sas central d'un *vaisseau-mère*. Un de ces énormes vaisseaux aux dimensions de nos villes qui sont invisibles à l'œil nu et pourtant si présents dans nombre d'endroits de la planète terre. Je sais que je connais déjà tout cela, je sais aussi que l'identité de mes compagnons ne m'est pas inconnue mais une partie de cette mémoire reste comme volontairement scellée.

L'entité plus féminine me sourit :

« La mémoire sur votre planète est liée à deux éléments très actifs sur terre à l'heure actuelle qui sont le mental et les émotions. à l'étape de votre avance, c'est une protection qui vous permet de continuer la route au-delà des difficultés rencontrées mais c'est aussi votre faiblesse. Nous en reparlerons plus tard, mais pour l'instant, avançons et regarde ! »

Il suffit de quelques pas hors du rideau de douche éthérique pour qu'un fabuleux paysage s'offre à mes yeux. Une nature abondante nous entoure sur des kilomètres ; des essences rares, des fleurs aux multiples couleurs, des arbres, des arbustes offrent qui leur ombre bienfaisante, qui leur parfum enivrant. Des cascades jaillissent du creux des rochers, des ponts, des petits lacs... Tout semble savamment organisé quoique des plus simples. Je ne suis pas une spécialiste de la botanique sur terre et ici je ne me risque pas à chercher le nom des plantes qui se penchent presque sur ma route comme dans l'attente d'une caresse. Je reconnais pourtant ici et là une fougère arborescente, une autre qui semble une orchidée, et tant et tant que je n'ai jamais vues... Nous continuons tous trois notre route vers un petit pont de bois, enjambant un cours d'eau limpide. l'un des deux êtres s'appuie d'une façon très naturelle sur la rambarde du pont. Sa voix coule une nouvelle fois en moi :

« Tu es bien, comme tu l'as pressenti, dans l'un de nos vastes *vaisseaux-mères* en station au-dessus de certains points de la planète terre. Certains ont déjà écrit à ce sujet, mais nous tenions, en accord avec de grands êtres de notre planète, à ce que tu puisses apporter plus de détails à ce propos.

— Mais je vais avoir l'air d'écrire un roman de science-fiction !... et de plus, si l'on voit ce qui est advenu à tous ceux qui ont été plus précis, cela ne me réserve guère un avenir prometteur, rétorquai-je à haute voix mais sans grande conviction. »

Je savais déjà en prononçant ces paroles que mes arguments n'avaient aucune consistance. En effet, depuis quand avais-je des préoccupations pour mon avenir ou pour l'éventuel échec ou succès de ce qui m'était demandé ?

Jusqu'alors je m'étais toujours prêtée d'assez bonne grâce à toutes ces demandes un peu particulières dont l'importance ne m'échappait guère.

La voix continua sur un ton enjoué :

« Nous comprenons ce qui te préoccupe aujourd'hui. Nous savons combien ta vie est occupée, mais nous t'aiderons à trouver les lieux et les moments pour rapporter tout cela. Quant au résultat, il sera ce qu'il doit être. Les uns croiront, d'autres rejetteront ce témoignage, mais tous emporteront dans leur cœur un petit bout de ciel bleu. Ce voyage n'a pas pour but d'alourdir encore les connaissances, il n'apportera pas de notion scientifique supplémentaire ; d'autres l'ont fait et il vous faut cesser d'emmagasiner afin de mieux digérer ce qui vous a été donné.

— Mais alors, quel est le but que vous recherchez à travers le témoignage que je pourrais rapporter ?

— But n'est pas le mot juste. Pour qu'il y ait but il faut un commencement et une fin. Dans ce que nous te proposons il n'y a ni commencement ni fin, il y a la vie qui coule toujours différente et en même temps toujours elle-même.

Nous aimerions que vous connaissiez l'existence d'autres façons de vivre que celle que vous connaissez actuellement sur terre. Que vous sachiez que ces autres *modes de vie* peuvent être vôtres, que vous puissiez en retenir ce qui sera bénéfique pour vous et votre planète. Nous aimerions vous proposer un modèle où toutes les améliorations, où tous les aménagements sont possibles.

Le simple fait de savoir qu'il existe *autre chose* peut induire en vos âmes d'infinies possibilités pour votre *futur*. Mais là encore, le mot de futur n'est guère adapté. Nous reviendrons un peu plus tard sur cette question de vocabulaire. Les mots véhiculent une énergie au travers de chaque lettre qui les compose et qui a une vie autonome. La puissance du verbe n'est plus à démontrer mais sans doute à mieux comprendre. D'ici, lorsque nous voyons les courants d'énergie qui sortent de vos bouches lors de vos communications, nous sommes surpris par l'irrégularité, le désordre qui les habitent. Pour la plupart, vous ne percevez pas les petites énergies qui se forment alors autour de vous et qui vous rendent le quotidien si compliqué. »

La voix s'est arrêtée mais ma perplexité augmente :

« Si j'écris tout cela, les lecteurs risquent de surveiller chacun de leurs mots, ou de ne plus parler, ou de culpabiliser si leurs mots dépassent leurs pensées. ! »

Cette fois les deux êtres rient et avec tendresse la voix plus féminine continue :

« Sois sans crainte ! La grande majorité des êtres de cette planète parle beaucoup, trop parfois, mais très peu mettent en application ce qu'ils lisent ou entendent, même s'ils sont en accord avec cela... Une sorte de cocon, de léthargie enveloppe les humains, et les rébellions intérieures ou extérieures qui sont les leurs, restent momentanées et sans effet constructif. »

Le rire discret et sans moquerie de mes deux compagnons finit par m'apaiser. Tout me paraît simple et je devine aisément combien nos pourquoi et nos comment peuvent nous compliquer la vie.

Cette fois, je regarde plus attentivement le superbe parc dans lequel nous nous déplaçons. Sous la végétation luxuriante, je devine çà et là des présences. Mon attention est attirée par un petit groupe de quatre personnes qui, par leur attitude et leur position en cercle, semblent en méditation. J'aimerais les approcher mais notre itinéraire ne passe pas de leur côté. Ce qui me paraît étrange, est que ce groupe de personnes ne semble différer en rien de mes deux guides.

Je n'ai guère le temps d'approfondir cette question que je me promets pourtant d'éclaircir un peu plus tard... car je sens que *quelqu'un* me regarde. Je scrute attentivement la nature qui m'entoure, lorsque, tout à coup, je perçois à travers le feuillage d'un bosquet, à quelques mètres de moi, deux petits yeux brillants qui me dévisagent avec amusement et intérêt. Nos regards se croisent et j'espère réellement connaître celui ou celle à qui appartiennent ces perles à l'éclat velouté. Je ne peux m'arrêter au risque de perdre mes compagnons de voyage mais lorsque je me retourne, j'ai juste le temps de deviner la forme d'un petit être, de la taille d'un gnome, avec une fourrure dense et animale qui, furtivement, déguerpit du buisson.

Imperceptiblement nous venons d'arriver devant une voûte de feuillages d'un vert intense, masquant à peine l'entrée d'un couloir que je pense être long.

Les deux êtres d'un signe amical de la main m'incitent à les suivre.

Je parcours avec eux, dans le silence le plus complet, un long couloir dont les parois semblent dotées d'une vie autonome. Ce matériau étrange me déroute et pourtant je sais au plus profond de moi que je vais bientôt en redécouvrir le *pourquoi*.

Tout à coup, mes deux compagnons s'arrêtent:

« Avance jusqu'à nous, nous allons pénétrer dans un lieu important pour chacun de nous ici : celui des informations relatives à la planète Terre. »

Quelques pas me suffisent pour découvrir le lieu. Je ne peux retenir une exclamation :

« Quelle merveille ! »

Chapitre 2

La salle des informations

Je ne saurais encore dire si c'est l'endroit lui-même, ou l'ambiance qui s'en dégage, qui me font m'exclamer ainsi... Peut-être les deux.

Une immense coupole centrale, composée d'une matière semblable à du cristal, propose à mes yeux ébahis un magnifique ciel étoilé. Jamais je n'ai vu aussi nettement, avec tant de clarté et d'intensité, autant d'étoiles. Cette vision fait naître en moi une sérénité plus grande encore et lentement mon regard est attiré par une sphère semblant faite de la même matière cristalline que la coupole. Elle est juste quelques mètres en dessous du ciel étoilé, au centre de la pièce, en suspension ; j'aurais presque envie de dire en lévitation.

Avant que mon investigation ne continue, la voix la plus féminine intervient avec une grande douceur :

« Comme tu l'as ressenti, les matériaux que tu vois sont semblables au cristal de votre terre mais sans en être cependant. Ce matériau est d'une solidité très particulière et des villes entières en sont faites. Maintenant, regarde plus attentivement les parois qui t'entourent... Quelque chose t'étonne-t-il plus particulièrement ? »

Cette demande me paraît tout à fait superflue car tellement de questions se bousculent dans ma tête que je ne sais par laquelle commencer. L'une d'elle me paraît pourtant moins *naïve* :

« Depuis le couloir, j'ai en effet une sensation curieuse. Les murs, les parois de tous les lieux que j'approche me paraissent faits d'une matière, disons *vivante* ! Qu'en est-il exactement ?

— Nous attendions cette question de ta part. »

La voix cette fois ne vient pas de l'un des deux êtres qui m'accompagnent. L'intonation est plus grave, un peu plus sévère. C'est celle d'une autre personne qui vient de rentrer et qui se dirige cordialement vers nous.

« Avancez, continue-t-il, et prenez place autour de cette table ».

Une table ovale d'une matière irisée qui m'est inconnue nous accueille tous les quatre. Douze vastes *fauteuils coquilles* sont disposés harmonieusement tout autour.

La voix continue :

« Si les matériaux que tu vois te paraissent plus vivants que ceux employés sur Terre, c'est parce qu'en effet ils le sont. Ils sont, comme ce grand vaisseau dans lequel tu te promènes, une production vivante de notre volonté et de notre Amour combinés selon certaines lois que l'on ne peut appeler *scientifiques* car elles sont la Vie même.

Le son, le Verbe primordial, fait partie intégrante de ce processus de création collective. Certains des nôtres ont eu la tâche délicate de transmettre des données très précises à des chercheurs de la planète Terre. Si j'emploie le mot *délicate*, c'est parce qu'il a fallu sonder les cœurs et les âmes de nombre de vos savants avant de faire ce choix, tout en sachant que la diffusion de ces connaissances serait fortement entravée. En effet, il existe sur terre des êtres qui n'ont aucun intérêt à voir se généraliser un tel savoir. Ainsi, les personnes que nous avons contactées ont dû faire face à nombre de difficultés. »

Je ne peux m'empêcher de demander :

« Sans doute parlez-vous de ces découvertes qui sont immédiatement rachetées et gardées au secret, ou encore de ce discrédit jeté sur certains chercheurs dont les *crédits ou fonds de recherche* sont volontairement supprimés et qui se trouvent pieds et poings liés financièrement... J'en connais aussi qui sont, à force d'épreuves, devenus très paranoïaques, ce qui bien sûr leur enlève la crédibilité qui pouvait leur être accordée. S'agit-il bien de cela ici ?

— Tout à fait, et le livre* que tu as écrit à ce sujet offre un éclairage dans ce sens... »

Ces derniers mots ont été prononcés par le grand être sur un ton plus malicieux, plus enjoué que le reste de son discours.

---

* Les Dossiers du gouvernement mondial.

« Pour créer un vaisseau, car c'est bien de création qu'il s'agit, cela nécessite l'amour et la volonté d'un certain nombre d'entre nous. Ces créateurs possèdent une connaissance plus spécifique du maniement du son mais aussi un déploiement exceptionnel de leurs capacités, reliées à leur mental supérieur et à leur cœur. Leur concentration *psychique,* pour employer vos mots, est très particulière, ce qui permet à leurs créations de se maintenir sous la forme voulue durant un temps beaucoup plus long qu'à l'ordinaire.

— Mais que signifie *l'ordinaire* pour vous ?

— En tant qu'individus, nos créations peuvent durer quelques jours, quelques mois, mais celles auxquelles je fais allusion ici peuvent durer des années de notre temps, temps qui n'a pas de rapport avec votre durée terrestre, mais là aussi nous en reparlerons.

Une création de ce type permet donc à nos vaisseaux, du plus petit au plus grand, de passer au-delà de vos normes de vitesse, de distance et de temps. C'est aussi pour cela que nous pouvons nous rendre visibles ou invisibles à volonté... Simple question d'état vibratoire de la matière. Ne t'inquiète pas, tu vas dans peu de temps constater les effets de cela par toi-même et d'une manière tout à fait concrète. »

Je me réjouis intérieurement de cette nouvelle, lorsque l'être étend la main gauche dans un geste très précis vers l'énorme globe de *cristal* en suspension. Je m'aperçois à cet instant seulement qu'il tourne lentement sur lui-même, d'une lenteur presque hypnotique.

« Cette salle est pour nous celle des informations. Elle nous donne, à chaque instant, l'état de la planète terre et nous permet de mieux comprendre ce qui se passe dans l'âme de ses habitants. Mais regarde... »

Mes deux guides, de part et d'autre, sont presque enfoncés dans leurs fauteuils coquilles ; je fais de même et je me cale comme si j'étais dans un avion prêt à décoller

Tout à coup, la sphère qui avait pris une teinte plus laiteuse, semble grandir à une vitesse vertigineuse ; elle prend toute la pièce, elle m'englobe dans son expansion et j'ai la sensation d'être projetée dans l'espace. Sous moi, la planète terre apparaît comme une petite sphère perdue dans l'univers. Un instant, je me sens remplie de compassion, de tendresse pour cette Terre à laquelle j'offre à mon gré trop peu d'attention encore.

Très vite, la planète se rapproche de moi. Les mots qui me viennent sont : *zoom avant sur la planète !* Les détails des continents, leurs contours, les mers apparaissent avec de plus en plus de netteté. L'Afrique devient le point vers lequel je semble me diriger. C'est cela... Je survole un désert et je m'approche d'un groupe d'êtres blottis dans le peu d'ombre offerte par un mur de torchis. Ces personnes semblent faire la queue... Non, en fait elles attendent je ne sais quoi, je ne sais qui. Elles sont de race noire, leurs silhouettes longues et décharnées me font supposer qu'elles ne trouvent pas de quoi subvenir à l'essentiel. Tout à coup, un homme jusque-là masqué par le mur, apparaît. Il semble soucieux et préoccupé. D'un signe, il invite tous ceux qui attendent, à entrer. La minuscule pièce, au sol en terre battue, est vite trop remplie. Calmement ou plutôt avec lassitude, chacun trouve un endroit pour s'accroupir. Un autre homme, de même race, est là aussi ; il sert dans de petites cupules une espèce de bouillie que chacun reçoit sans un mot. Dans le groupe il y a des enfants aux membres longs et maigres, aux yeux trop grands pour pleurer. Ils semblent garder le peu de force qui les habitent encore pour je ne sais quel miracle... Je suis prise de nausée devant mon impuissance à agir. Je ne veux plus être spectatrice de scènes sur lesquelles je ne peux rien.

« Certains sur terre aimeraient vous faire croire à ce constat d'impuissance. L'incapacité à agir rend agressif envers des êtres qui vivent une situation que l'on pense ne pas pouvoir modifier. Regarde la réaction de certaines personnes face à la douleur, à la peine, à la maladie de leurs proches. Ils se sentent parfois si incompétents, si maladroits qu'ils préfèrent devenir distants, parfois violents ou même indifférents devant ce qu'ils considèrent trop lourd à porter. Regarde ce qui arrive bien souvent dans les hôpitaux de la terre lorsque les médecins, infirmières ou personnel du lieu sont face à un être pour lequel ils pensent ne plus pouvoir rien faire ? N'as-tu pas constaté bien souvent combien cette personne devient indésirable ? Elle est renvoyée chez elle ou reléguée dans une chambre où personne ne va plus. Qui accepte de voir de façon aussi évidente, ce qui est considéré par les humains comme un constat d'impuissance et par là même comme un échec.

— Il y a heureusement des bénévoles qui s'occupent de plus en plus de tout cela.

— Bien sûr, car il y a toujours des hommes et des femmes dont le cœur est grand ouvert ; mais n'oublie pas que pour eux la culpabilité et le besoin, souvent inconscients, d'être reconnus et aimés, en sont des moteurs importants. Cela ne signifie pas que l'acte ne soit pas positif, mais il y gagnerait en force et en pureté s'il n'était pas parasité par ces éléments personnels et annexes, créés par le mental trop fort des habitants de la terre.

Il n'est pourtant demandé à personne de porter la charge ou la souffrance de qui que ce soit. Cela aussi est une invention qui a pour but de vous culpabiliser et de faire naître en vous des sentiments qui vous affaiblissent et vous rendent incapables d'agir. Mais là encore, que signifie le mot agir ? Ce peut être, bien sûr, une action, un acte de don de soi ou de ce que l'on a, non pas pour déculpabiliser une conscience qui se pense souvent coupable, mais par Amour, compréhension de l'autre. Savoir que l'autre est un être divin, au même titre que chacun de vous, comprendre et accepter qu'il ait pu faire des choix de vie qui vous paraissent inacceptables, demande beaucoup d'amour, de respect, de non-jugement et de tolérance. Savoir aussi que votre écoute, votre sourire, votre tendresse peuvent rendre la route de ceux que vous croisez plus facile, est plus essentiel que vous ne pouvez le penser. Vous n'êtes pas sur terre pour résoudre des problèmes. La vie vous paraît difficile, parce que vous la rendez telle par la conception même que vous avez élaborée dans votre mental. Le Simple est encore pour vous quelque chose d'énigmatique. Le Vrai, le Pur, l'Efficace ne sont jamais complexes. Vous les croyez tels parce qu'actuellement vous vivez dans une *matrice* qui crée autour de vous un voile épais qui persistera aussi longtemps que durera votre façon de comprendre la vie. Mais nous en reparlerons. Regarde plutôt ce qui vient. »

La scène suivante est d'une violence inouïe. Je survole une partie de l'Europe. Là, il y a la guerre : des militaires font une descente dans un village, ils fouillent les maisons et ramassent ce qu'ils y trouvent digne d'intérêt. Leur regard est vide, fatigué, presque drogué... Ils ont peur et tirent sur tout ce qui bouge. Les femmes et les enfants qui n'ont pas quitté les lieux sont violés, égorgés. Je ne comprends pas pourquoi tout cela m'est montré. Mon âme a du mal à reprendre son souffle.

La voix apaisante et féminine de l'un de mes guides résonne en moi :

« Ne te laisse pas immerger dans toutes les émotions que peuvent engendrer ces visions. L'action se fera toujours par le cœur, non par l'émotivité. Je comprends que tu sois submergée par ce qui te paraît injuste. Sache cependant que rien, jamais rien, ne se fait sans qu'une partie de vous ne l'ait accepté et voulu. Cela n'excuse rien de ce qui arrive, mais il s'agit plutôt de comprendre l'une des grandes lois cosmiques qu'il faut peu à peu que vous réussissiez à percevoir pour aller plus avant, plus en vous, là où tout est possible. »

Je respire difficilement, je suffoque, non pas d'indignation mais de ce trop plein qui étouffe et dont on ne sait comment se débarrasser.

« Justement, on ne se débarrasse jamais de rien. Tout ce qui existe est juste de par le seul fait d'exister. Votre notion de juste et d'injuste est par trop simpliste et vous donne un aspect très restreint de la Vie.

— Veux-tu dire par là que tout est bien, qu'il n'y a rien à changer ?

— Ce n'est pas tout à fait cela. Tout est juste, parce que vous l'avez créé et voulu ainsi : les expériences que vous faites sont celles que vous avez décidées selon votre niveau de compréhension des lois de la vie. Transformez vos lois, changez votre regard sur la vie et les événements seront différents.

— Comment cela se peut-il concrètement ?

— Prends encore un peu patience. »

Je survole maintenant une mégalopolis. J'ai l'impression de reconnaître la ville de Rio. Des favellas, ou plus simplement *bidonvilles*, coulent lentement vers la ville et ses luxueuses plages et villas. C'est le soir et les lourdes grilles des habitations cossues se sont refermées sur leurs habitants. Ce sont eux qui, à cette heure, sont les prisonniers. La ville, le soir, est à ceux qui n'ont rien et dont la majorité a peur. Les riches sont gardés par les gardiens de leurs propres prisons !

D'une baraque de tôle ondulée sortent trois enfants entre dix et douze ans à peine. De là où je suis, je peux sentir la violence et la colère qui les habitent. Ils sont prêts à tout pour avoir ce que les autres ont et dont ils ne profiteront peut-être jamais. Peu leur importe une vie de plus ou de moins, ils sont dans un endroit où le plus fort gagne même si ça n'est qu'un instant. Une voix résonne en moi :

« Vous avez fait de vos désirs et pulsions, des lois qui ont été érigées pour quelques-uns par quelques-uns. Les lois cosmiques sont très différentes et vous ne pourrez continuer à vivre ainsi en les oubliant.

Elles convenaient à ce que vous pensiez être, simplement parce que pour un temps, vous aviez oublié votre essence divine aux infinies possibilités. Vous avez jusqu'à présent joué au bourreau et à la victime, d'une vie à l'autre, en changeant et en renouvelant les rôles, de vie en vie, et vous avez joué si longtemps que vous en avez oublié que ce n'était qu'un jeu, qu'il n'y a, en fait, jamais eu de bourreau ni de victime sans le consentement mutuel de chacun. »

Zoom arrière et à nouveau zoom avant. Cette fois je reconnais une capitale européenne connue pour son élégance, sa *haute couture* et ses défilés de mode. Je vais peut-être me reposer l'âme… Une salle pleine d'un public choisi, mondain, qui semble attendre le début d'un spectacle. Un ponton s'avance au milieu des spectateurs… Il s'agit bien d'un défilé de mode. Des mannequins longs et osseux, hommes et femmes, avancent, tournent, repartent vêtus de peaux de bêtes élégamment coupées. Je suppose qu'il s'agit là de la mode pour l'hiver prochain car dans la salle la climatisation est à son maximum.

À nouveau je quitte la scène ou la scène me quitte je ne saurais le dire. Je survole cette fois un superbe yacht blanc, un trois mâts voguant de toutes ses voiles sur la Méditerranée. Il semble y avoir du monde à bord : je dénombre une dizaine de personnes qui semblent être là au service du ou des propriétaires.

La voix ferme de mon guide à l'énergie masculine me parvient:

« Ce bateau appartient à un riche armateur qui est devenu l'une des grandes fortunes de cette planète, bien que n'étant pas le plus connu. Il a accumulé une fortune non négligeable grâce à des compromis avec certains chefs de gouvernements. Je ne t'apprends rien de nouveau avec tout ceci mais sache que la vie sur cette planète ne peut continuer avec des différences et des mensonges qui gangrènent votre monde.

— Veux-tu parler ici de bon et de mauvais?

— Non, l'idée de juger, d'analyser, de condamner ne fait pas partie de notre mode de pensée et ne peut être d'aucune utilité dans aucun contexte, quel qu'il soit... Regarde encore un peu!»

Le grand bateau blanc se rapproche de moi, du moins c'est mon impression.

Des femmes alanguies dans un trop somptueux salon attendent en riant, prenant des attitudes lascives qui ne laissent aucune équivoque. Des verres d'alcool sont servis par un personnel zélé, mais ce qui m'étonne le plus ce sont les fresques peintes et signées qui décorent l'un des murs et le plafond du salon...

« Les robinets eux-mêmes sont en or, continue la voix de mon guide du moment, il ne s'agit pas de juger, de condamner mais de savoir que la Terre possède des possibilités immenses. Elle peut permettre à chacun de mener une vie décente, à tous les niveaux, à condition que la cupidité ne soit pas une règle de conduite comme çà l'est

33

encore trop souvent aujourd'hui. Ne pense pas qu'il s'agisse d'un jugement de ma part. Nous savons trop que seule l'expérience permet de comprendre et d'apprendre et que la diversité des tempéraments des habitants de votre planète en fait aussi sa richesse. Pourtant le fait de vouloir toujours davantage, de devenir un consommateur insatiable porte un nom que vous nommez *cupidité* n'est-ce pas?»

Je ne peux qu'approuver intérieurement. Tout est tellement évident... Cette fois, j'en ai assez vu. Évitant bien souvent de me complaire dans des informations déprimantes, je n'ai plus envie de m'appesantir sur de telles scènes. Je veux revenir à la salle des informations.

« Mais tu ne l'as jamais quittée », répond en écho à mes pensées une voix familière et enjouée! En effet, sous moi je sens la courbe enveloppante du fauteuil, la résistance des accoudoirs. Je suis bien dans la salle des informations où rien ne semble avoir bougé d'un millimètre! La sphère tourne toujours avec lenteur sur elle-même et mes trois compagnons me regardent en souriant. J'ai l'impression de sortir d'un mauvais rêve qui me laisse encore un arrière-goût amer.

« Nous n'avons pas voulu te montrer ces scènes qui ne t'apprennent rien de nouveau, pour le simple fait de mettre à l'épreuve ton émotivité. Il en est cependant trop parmi vous qui devant le sentiment d'impuissance réveillé par le malheur des autres, préfèrent tout simplement l'ignorer et penser que le monde peut continuer ainsi encore un peu... C'est une erreur qui renforce encore le cocon qui vous entoure et la léthargie qui en découle.

Ce monde que tu trouves tellement aberrant n'est pas voulu par d'autres que par vous. L'ensemble de l'humanité terrestre est à l'origine de toutes les situations qu'elle rencontre – de toutes les beautés, de toutes les *laideurs* qui sont sur sa route. Elles n'ont pas d'autres existences que celles que vous leur donnez. Elles sont vos créations, ni justes, ni injustes. Elles correspondent à ce qui vit au plus profond de vous. Les idéologies qui président à vos révolutions sont utiles car elles émanent de ce qui change profondément en vous. Ce que vous faites de tueries et de guerres n'est que l'extériorisation maladroite de ces pensées.

Vus de nos vaisseaux, vous ressemblez à de tout jeunes enfants qui expérimentent maladroitement la vie mais ont en eux toute la liberté, tout le potentiel de leur futur.

Dans vos jardins d'enfants, ceux qui jouent à la guerre y croient comme à une réalité, parce que c'est leur réalité.

Lorsque vous rêvez dans vos nuits, vous vivez d'étranges situations auxquelles vous croyez comme *à la réalité* parce que c'est votre réalité du moment. Lorsque vous vous éveillez vous continuez dans ce que vous pensez être *réalité*.

Mais as-tu pensé à ce qu'est votre *réalité*? Elle est ce en quoi vous croyez, elle est ce que vous pensez mais rien n'a d'existence autre que celle que vous lui donnez.

— Cela signifie donc que nous pouvons avoir un monde différent de celui de notre voisin et que nous pouvons changer les événements que nous vivons?

35

— C'est en partie exact ! Ce que nous pensons d'un monde transforme notre perception de ce monde et par ce fait les événements qui nous entourent en sont différents. Vous avez voulu mettre la vie en équation, donner une explication *raisonnable* à tout mais les lois de la vie sont fluides. Elles changent et évoluent, se transforment selon la pensée de son créateur. Sur nos planètes, nous créons nos mondes volontairement. Ici, vous créez les événements de la Terre sans en avoir encore conscience. Vous pourriez devenir des créateurs conscients et volontaires de vos mondes respectifs. Je dis bien *vos mondes*. Car vous n'avez pas un monde mais des mondes différents pour chacun de vous.

— Mais comment faire pour être plus conscients de notre responsabilité de créateur sans en devenir coupables ?

— Soyez simples et surtout ne croyez pas que d'autres vous manipulent. Le *gouvernement mondial* dont tu parles n'agit que parce qu'une partie de vous le veut bien. Rien ne peut se faire sans votre accord même si parfois, parmi vous, des êtres profitent du sommeil momentané de vos âmes. Certains d'entre les hommes ont tout intérêt à ce que les choses restent ainsi. Ils ont l'habitude de créer des foyers infectieux en divers lieux de la terre. Dès qu'un conflit, une épidémie, une guerre, une catastrophe économique cesse à un endroit, aussitôt un événement se prépare ailleurs. Cette déstabilisation affaiblit considérablement votre capacité à réfléchir par vous-même. Une partie des médias leur sert de support, vous le savez, mais aussi les téléphones portables et les systèmes tels Internet.

— Cela signifie-t-il que nous devons tout supprimer?»

Je ne peux m'empêcher cette intervention car tout ce qui vient d'être cité me semble avoir également de très grandes possibilités.

«Les inventions ont toujours en elles deux pôles et tu le sais: le plus et le moins Le but n'est pas de supprimer quoique ce soit mais de faire que les découvertes soient au service de l'humanité et non de quelques personnes avides de pouvoir et d'argent. Une planète dévitalisée est une proie facile et ne crois surtout pas que seules quelques poignées d'humains veulent tirer profit de la Terre.

Cette planète, d'une extrême richesse, a depuis des millénaires été un enjeu. Elle est la seule de ce système solaire et même d'autres systèmes plus éloignés à offrir autant de possibilités... De par la nature qui la compose, par la variété de son sous-sol, de ses mers, de ses climats, de ses minéraux, et, depuis moins longtemps, par la diversité des êtres animaux et humains qui l'habitent.

Si nous avons voulu te faire ressentir quelques scènes de cette terre que tu habites c'est parce que son histoire correspond à notre préhistoire.

Lorsque d'ici, nous regardons des êtres se couvrir de peaux de bêtes pour leur seul plaisir, affamer les leurs pour mieux en tirer partie, régner par la loi du plus fort en prétextant des idéologies, manger tout ce qui bouge et agir par pulsion ou guidés par l'émotion, voilà ce qu'était notre préhistoire. Il suffirait de très peu de votre temps terrestre pour que tout ceci change, mais la compréhension générale de la planète génère à l'heure actuelle un voile qui rend toute démarche plus pesante et toute compréhension plus difficile pour ceux qui l'habitent.

Si vos portables qui se sont répandus très rapidement fragilisent une partie de votre cerveau et le rendent plus malléable, si le processus d'Internet qui occupe les jours et les nuits de vos concitoyens vous donnent l'illusion d'être reliés à toute la planète, ce n'est que partiellement vrai mais cela permet d'induire les données les plus fausses auprès des plus véridiques. Pourtant il existe une faille plus importante encore et qui dépend de vous : il s'agit de votre mental. Tu vas comprendre rapidement ce que je veux dire par là mais, regarde encore une fois. Ce que tu vas voir n'a rien en commun avec les scènes précédentes. Il s'agit là de moments d'un passé très lointain de l'humanité terrestre. Tellement lointain que vous n'en percevez plus les traces, même si toute sa mémoire est totalement présente, bien qu'endormie en chacun de vous ».

Chapitre 3

Au-delà de l'espace
et du temps

Le silence se fait profond. Mes deux guides me montrent cette fois d'un même geste non pas la sphère mais les murs de la vaste salle. Ceux-ci deviennent de plus en plus *vivants,* de plus en plus translucides jusqu'à disparaître complètement. Les parois mouvantes se sont effacées pour laisser place à un paysage dont je suis l'élément central. Je me sens vide, seule une sensation particulière m'habite, elle ne m'est d'ailleurs pas inconnue... Je vois à travers des yeux qui ne sont pas les miens, je marche avec un corps qui ne m'appartient pas.

Des sons apaisants m'inondent, la voix de l'Être le plus féminin me parvient un peu comme un écho.

« Tu vois effectivement par les yeux d'un homme... »

Je souris intérieurement à l'idée d'habiter momentanément le corps d'un homme.

L'homme baisse la tête, ce qui me permet de voir combien ses membres sont longs et minces, seules les hanches paraissent plus larges. Je constate, par là même, qu'il est nu et de peau foncée, presque noire. Une jeune femme avance vers lui, j'ai tout d'abord un peu de mal à détailler ses traits tant l'atmosphère environnante est épaisse... humide et comme baignée d'une brume persistante. Elle se rapproche et tend à l'être que j'habite une calebasse remplie d'un liquide odorant qu'il boit d'un trait. Elle aussi a la peau noire et la silhouette longiligne. Elle n'est guère plus vêtue que son compagnon mais des décorations d'herbes tressées ornent ses bras et sa taille. Autour de nous, la végétation est dense, semblable à une jungle tropicale ce qui ne m'étonne guère étant donné l'humidité qui règne ici.

J'entends des voix ou plutôt des chants, très envoûtants, très sensuels, à la fois graves et cristallins. Je n'ai aucune idée de leur provenance car je ne vois aucun village, aucun type d'habitation alentour. Cependant, comme mu par un septième sens, le couple semble savoir où se diriger. Nous partons dans une marche rapide qui ne semble pas affecter leurs corps souples. À l'intérieur de moi, la voix de mon guide reprend :

« Nous nous trouvons dans l'une des civilisations principales de la lointaine Lémurie. La race noire était alors dominante et sa culture était un exemple pour le reste de la planète... »

Le couple s'arrête enfin devant un lieu qui pourrait être un village. Je n'ai encore rien vu de tel : les maisons ressemblent à des fourmilières géantes. Elles sont là telles de grands rochers rouges en forme de cônes. On les croirait naturelles tellement tout est savamment intégré dans le lieu géographique. Seules quelques ouvertures artistiquement pratiquées laissent penser que des vies humaines y habitent. L'homme se glisse rapidement et souplement par l'une des ouvertures du bâtiment le plus grand. Mon regard à travers le sien s'accoutume à la lumière ambiante. Une salle aux multiples couloirs… sans attendre nous prenons l'un d'eux qui nous mène à une grande pièce où nombre de personnes de cette même race sont occupées à diverses tâches. Un groupe chante et joue d'instruments qui me paraissent complexes, d'autres dessinent sur les parois et sur le sol de la pièce, certains réalisent de très artistiques tissages et je comprends qu'il s'agit d'un endroit consacré essentiellement aux arts. Des fontaines agrémentent le lieu et j'ai même l'impression lorsque je regarde plus attentivement les peintures sur le mur, de les voir bouger et s'animer d'une vie autonome.

« C'est tout à fait juste, la voix est là, rassurante et paisible. Cette civilisation a eu pour fonction de développer d'une façon remarquable tout ce qui concerne les sens. L'atmosphère humide et brumeuse de cette époque a largement contribué au fait que ces êtres ont d'abord développé leurs sens intérieurs. Leur intuition est tout à fait étonnante, ils savent d'instinct comment appliquer les grandes lois naturelles et ils s'en servent à travers l'art sous quelque forme que ce soit.

Regarde attentivement le plafond de cette salle. Vois-tu l'extraordinaire voûte étoilée qui y est peinte. »

Je regarde en effet ce que je croyais tout d'abord être une ouverture sur un ciel bien réel.

« Leur connaissance des étoiles et des astres est immense et leur contact avec nous est fréquent.

— Tu parles au présent de ce passé. Est-ce voulu ?

— Tout à fait et tu en comprendras peu à peu la raison. Cette sensibilité, entraîne chez eux une grande sensualité et de gros besoins sexuels. Par contre, au niveau du corps physique ils ressentent peu, ce qui les rend plus insensibles à la douleur et plus résistants à l'effort.

Les fresques que tu as pu remarquer tout à l'heure peuvent te faire vivre leur histoire ou celle que l'artiste a voulu y mettre, ces peintures vivantes sont l'un de leur savoir.

Il te suffit de te placer face à ces peintures en état de vacuité pour qu'elles puissent t'envelopper et te raconter des épisodes de leur vie. »

Je n'ai guère le temps d'approfondir ces paroles car la compagne de l'homme à travers lequel je regarde, l'entraîne vers une autre pièce et le pousse en riant sur une vaste couche que je sens très confortable. Il se laisse tomber bien volontiers sous la pression musclée de la jeune femme qui d'une main prend prestement au pied du lit un bol en tout point semblable à celui qu'elle lui avait proposé lors de son arrivée. Cette fois ils se partagent le breuvage avant de s'allonger côte à côte. La voix rassurante ne me parvient plus que de très loin…

« Ne crains rien, ce breuvage, tiré d'une plante aux propriétés hypnotiques, va leur permettre de faire une expérience à travers une âme animale. Ils ouvrent ainsi des portes à une sensibilité qu'ils savent diriger sans excès sur les conseils de leurs grands instructeurs. »

Je m'engourdis, je ne sens plus le corps que j'ai emprunté, je sens par contre une odeur fauve et animale qui me serre la gorge. Quelque chose d'âcre et de rude veut sortir de ma gorge, un rugissement, c'est bien cela, je cours, je grimpe je rugis avec une sensation intense de vie qui coule à travers moi, avec l'impression de faire corps avec cette nature qui m'entoure... La surprise est telle que j'en perds ma concentration, je me retrouve aussitôt dans la salle des informations. Je regrette de n'avoir pu prolonger l'expérience mais mon guide me rassure :

« Tu ne peux prolonger trop longtemps une expérience qui ne t'appartient pas, c'est bien ainsi. Les Lémuriens, vois-tu, ont développé leur sensualité jusqu'à l'excès et comme toute civilisation elle a eu un apogée et un déclin. Il est très difficile de rester en permanence sur la crête d'une vague, il faut savoir accepter de descendre pour mieux remonter ensuite. C'est ce qu'aucune des civilisations de la terre n'a encore accepté et c'est ce qui fait de la période de repos logique un déclin difficile à vivre fait d'excès et de violences.

Le déclin de la Lémurie s'est traduit par des mœurs de plus en plus dissolues. Les êtres de cette civilisation par leur grande insensibilité à la douleur ont cru comprendre que cela pourrait leur être utile. C'est alors qu'ils ont commencé à conquérir et à réduire à l'esclavage de grandes parties des populations terrestres de l'époque. Peu à peu, la paresse, la lascivité ont transformé ce peuple aux capacités psychiques étonnantes en une civilisation mue par ses pulsions. Le Cœur avait perdu sa place et les éléments naturels dont l'eau, emportèrent les restes de cette civilisation.

Seuls les sages purent sauver un peu de leur savoir qu'ils transmirent oralement et qui persiste sous la forme de certaines connaissances déformées que l'on peut rencontrer sur le continent africain. »

À peine ai-je eu le temps d'entrevoir les murs moirés de la salle des informations que déjà je me sens projetée au centre d'un autre décor. Cette fois, il ne s'agit plus de nature mais de ville.

Le corps que j'habite une nouvelle fois me paraît plus dense que le précédent.

Je marche dans la rue d'une ville étrange : très moderne, elle semble aussi très agréable à vivre. L'air que j'y respire est plus pur que dans la plus retirée de nos campagnes ; nous paraissons être au centre de la cité mais la circulation y est faible. De petits engins sont en déplacement à quelques mètres du sol… Comme s'ils glissaient sur d'invisibles rails.

« Ils pourraient être comparés à vos taxis collectifs. Ils attendent d'être loués ou empruntés à l'entrée de la ville. Là où chacun abandonne son véhicule personnel pour celui-ci. La circulation est ainsi beaucoup plus fluide… » résonne une voix connue à l'intérieur de mon crâne.

« Je ne parle pas de pollution car cette civilisation a déjà résolu le problème depuis longtemps. Leur source d'énergie est unique, éternelle et non polluante. Elle sert à tout, que ce soit le chauffage, la propulsion de leurs machines ou toute autre utilisation.

Tu es ici en Atlantide, cette civilisation qui intrigue tant les êtres de la Terre et dont certains vestiges ont déjà été découverts et tenus secrets. »

La voix féminine continue…

« Mais sois sans inquiétude, dans peu de vos années, des bouleversements de la Terre et de l'eau permettront de grandes redécouvertes à ce sujet. »

Je continue à marcher le long de bâtiments faits d'une matière semblable à celle rencontrée dans le vaisseau mère : une sorte de cristal à la dureté du diamant.

« Des villes complètes sont construites avec cette matière qui n'a pas de nom pour toi. La technologie, la science de cette ère est très avancée.

L'être dont tu habites momentanément le corps travaille dans un des grands laboratoires de recherche de cette ville. Des expériences génétiques sont en cours et cela le préoccupe. Le travail qui est le sien aujourd'hui est de greffer des formes pensées négatives sur un organisme vivant. Il vient de faire une découverte étonnante. L'homme n'est pas préoccupé par les dangers que peut représenter sa découverte mais plutôt par les moyens de la rendre plus active.

Il est comme certains chercheurs qui éprouvent une jouissance extrême dans le fait de chercher, de comprendre et finalement de trouver.

Ces intelligences oublient parfois ce qui découle comme conséquences de leurs découvertes. »

Le scientifique s'arrête devant une porte de cristal. Il ouvre la paume de sa main. Un code semble inscrit dans la peau, code de reconnaissance puisque la porte s'ouvre. Il rentre dans une pièce parfaitement blanche où la lumière semble régner partout bien qu'il n'y ait aucune fenêtre ni aucune source apparente d'électricité.

« La source est la même que celle qui permet à leurs véhicules de se déplacer... C'est une flamme qui la génère. Une flamme gardée par un collège de sages. Chacun peut en recevoir une parcelle, pour son usage personnel. Regarde. »

La main de l'homme prend une sorte d'éprouvette dans laquelle bouge quelque chose que je distingue mal. Il l'approche de ses yeux ce qui permet d'apercevoir une petite bête à l'abdomen blanchâtre et gonflé. C'est une bête que je connais bien. »

Je ne peux retenir une exclamation intérieure.

« C'est bien une tique ?

— Tout à fait, la tique est l'une des expériences génétiques qui a survécu à la chute de l'Atlantide. Elle est créée à partir des pensées négatives qu'elle capte dans son environnement. »

Le savant pose son éprouvette et sort. Je sens à l'intérieur de lui une vibration, une sensation de victoire. Il se dirige maintenant d'un pas leste vers un petit véhicule taxi qui attend à un arrêt d'éventuels clients.

Nous l'empruntons avec une sensation agréable et étrange d'un déplacement très rapide mais très doux et sans bruit. L'homme est nerveux.

Après un temps qui me semble un peu long le petit véhicule s'arrête devant un lieu magnifique. Une allée de fleurs parfumées roses et mauves conduit à une sorte de palais aux nombreuses coupoles. Quelque chose comme le grand temple d'Ankor-vat en plus transparent, plus cristallin, plus majestueux encore.

« Ce chercheur va faire part de ses progrès, de sa découverte au collège des administrateurs de ce pays.

Chaque colonie de l'Atlantide et l'Atlantide elle-même possède une législation bien précise. Un collège de 12 personnes : six hommes et six femmes, y préside aidé par 12 autres personnes réparties de même et dont le but est de conseiller sur un plan plus subtil et de maintenir une harmonie générale par leurs pensées, méditations et visualisations. Le premier législateur de l'Atlantide et aussi le plus grand fut l'être Jésus. C'est lui qui érigea les lois essentielles qui permirent l'harmonie et le bon fonctionnement de cette civilisation pendant des milliers d'années.

Cette ère à son apogée avait pour fonction de développer le potentiel de sciences et de savoir contenu dans l'être humain.

Encore une fois, le savoir, la science, les connaissances furent telles qu'elles occultèrent les fonctions du cœur. Peu à peu se développèrent la soif de puissance et les jeux de pouvoir.

L'être humain avait perdu la place que la technologie et la science lui prenaient.

— Cela me laisse une terrible impression d'échec de chaque grande civilisation, ne puis-je m'empêcher de penser un peu nerveusement. Ne peut-on éviter ces excès et débordements qui semblent une fatalité ?...

— Il n'y a ni échec, ni fatalité... »

Je reconnais cette fois les intonations plus fermes de la voix du *chef* des informations.

« Comprends-moi », le ton se fait plus doux.

« Lorsqu'une énergie est émise, par des pensées traduites en paroles ou en actes, elle a toujours des conséquences qui lui sont propres. Cette énergie correspond à un fonctionnement, un mécanisme, une habitude, une croyance de celui qui les émet. C'est une réalité pour l'émetteur ou le groupe d'émetteurs tel un pays ou une civilisation. Il n'y a donc aucun échec puisque la réponse sera toujours en résonance avec l'énergie de départ. »

Je suis perplexe.

« Je sais qu'il n'y a pas d'échec et que chaque pas, est une expérience à accepter et à comprendre. Mais alors, comment se fait-il que des milliers d'années plus tard nous répétions inlassablement ce même schéma qui nous mènera à un résultat analogue : la fin d'une civilisation ? »

Je sens dans le ton de la voix qui me parle une sonorité plus enjouée.

« Non, rien n'est jamais identique. À chaque étape de la Terre, à chaque période de civilisation, à chaque moment de la vie humaine, une compréhension de plus en plus vaste est acquise.

La Lémurie a fait croître en l'être humain tout ce qui touche à la sensualité, à l'intuition, à l'art, d'une manière plus vaste, plus intense.

L'Atlantide a eu pour but d'enrichir la connaissance, d'expérimenter les domaines de la science, de la génétique, le savoir du cristal, le pouvoir du son.

La première a permis une plus vaste connaissance des étoiles, du psychisme et des émotions humaines.

La seconde a mis en valeur le sens de l'organisation et du pouvoir. Toutes deux ont laissé dans l'actuelle civilisation terrestre leur savoir, leur connaissance mais aussi leur contrepartie d'excès et de soif de pouvoir.

La Lémurie a développé à la fin de son ère une maladie qui touche à l'amour. Cette maladie que l'on nomme S.I.D.A. est réactivée aujourd'hui, car les êtres humains actuels ont réveillé en eux et autour d'eux des mémoires qui sommeillaient. Les conjonctures planétaires et les perturbations personnelles de chacun ainsi que les facteurs de vie sociale ont permis un réveil de cette entité maladie. Aujourd'hui, vous serez en mesure de la guérir car votre ouverture de cœur est autre.

— Pourrais-tu m'expliquer plus précisément ces réveils planétaires de certaines maladies ou de certains comportements ?

— Bien sûr : lorsqu'en thérapie, tu regardes l'aura d'une personne* et que tout à coup apparaissent des scènes de vies antérieures, tu sais que le problème pour lequel la

---

* Cf. Livre « Lecture d'auras et Soins Esséniens » – Éditions S.O.I.S.

personne t'a contactée a son origine dans cette vie et dans ces scènes. Tu sais aussi que si ces scènes t'apparaissent, c'est parce que le moment est venu pour elle de pouvoir régler ce passif. Eh bien…, pour la Terre, c'est la même chose. La planète contracte des maladies à travers les civilisations qui l'habitent. Ce qu'elle n'a pu guérir à une époque réapparaît alors, dès qu'une civilisation propose des événements analogues : par ses mœurs, les incarnations de ses habitants, les conjonctures planétaires. C'est alors pour elle et pour une partie de la civilisation qui l'habite et qui est en rapport avec ce problème, la grande opportunité de pouvoir résoudre et comprendre ce qui ne l'a pas été auparavant. De la même façon, l'Atlantide a laissé en certains d'entre vous une connaissance scientifique élevée, mais aussi un goût du pouvoir marqué qui se traduit notamment par des manipulations génétiques désordonnées et des actes magiques concernant le pouvoir du cristal.

— Nous sommes donc, à ce jour, en tant que civilisation, le résumé des précédentes ? Et si oui, comment tout résoudre en même temps ?

— Vous êtes bien plus que la somme des civilisations précédentes car vous êtes VOUS, un être divin à part entière, à la fois autonome et unique, mais aussi inclus dans chaque parcelle de la création… Dans un temps et aussi dans tous les temps que vous pouvez concevoir. Aujourd'hui, vous avez réveillé en vous tout ce qui sommeillait des grandes civilisations antérieures, vous vous trouvez face à un moment unique qui ne s'est encore jamais présenté. Celui de pouvoir nettoyer en vous la somme de ce que vous avez pu capter du *passé* et que vous aviez laissé, depuis nombre de vies, en attente pour... plus tard. Et n'oubliez pas que ce que vous vivez à une échelle individuelle, la Terre le vit aussi à son propre niveau. »

Chapitre 4

La voie du cœur

Imperceptiblement, absorbée par les paroles de mon guide, je ne me suis pas aperçue que j'avais à nouveau repris contact avec la salle des informations. J'ai envie d'en entendre davantage.

Face à moi le grand être poursuit :

« Tu dis souvent aux personnes que tu rencontres qu'elles ont une chance extraordinaire de vivre à cette époque et c'est juste ! Vous êtes actuellement à la fin d'un grand cycle de 25 000 ans et en même temps à la fin d'un cycle plus petit de 12 000 ans. Ces deux cycles en communication créent de très importantes ouvertures dans votre environnement planétaire. Un peu comme des sas à travers lesquels vous pouvez puiser une compréhension différente de tout votre fonctionnement actuel sur tous les plans, du plus subtil au plus dense. C'est aussi un moment où de grands axes de communication subtile sont ouverts en chaque être qui se met à l'écoute.

Ces axes de circulation permettront bientôt un contact plus aisé et plus fréquent vers d'autres planètes et champs de conscience à ceux qui les emprunteront.

Nous savons que les interprétations de ce qui est perçu à travers ces moyens de contact sont diverses et parfois contradictoires. Peu importe! L'essentiel est pour l'instant de réactiver en vous des canaux subtils. Si vous restez vigilants à ce que votre cœur vous dit, les effets de brouillage seront sans importance majeure.

Votre civilisation actuelle est venue dans le but essentiel d'ouvrir la voie du cœur. Cette dernière comprend bien sûr le sourire, la compassion, l'écoute, le respect, le non-jugement, la tendresse, qui sont de petits éclats de lumière de ce grand mot *Amour* qui laisse l'être humain si souvent perplexe.

Vous vivez une époque qui vous demande beaucoup mais qui vous apporte aussi beaucoup. Il vous est ainsi offert la possibilité de contacter tous les êtres et toutes les situations que vous avez laissés en arrière, sans les résoudre, dans vos différentes vies passées. Aussi bon nombre d'entre vous se désolent des impressionnants obstacles de leurs vies sans savoir que quelque part avant de revenir, ils ont signé un pacte d'amour avec la plus belle part d'eux-mêmes. Un pacte d'acceptation de ce grand nettoyage sur tous les plans, afin de retrouver l'essence de leur être, le cœur d'eux-mêmes, ce cœur qui ne demande qu'à s'ouvrir et à respirer plus amplement.

Souviens-toi de ce voyage que tu as fait au mois de janvier. »

Je suis étonnée de la précision de l'être qui me parle de cette sortie hors du corps. Je m'en souviens en effet car pour moi ce bref voyage avait considérablement rendu plus fluides et plus légers les mois qui suivirent. Une thérapie de l'âme en quelque sorte !

Cette nuit-là je sors, et immobile à seulement quelques mètres de lui, j'assiste d'une façon très impersonnelle et sereine au défilé de toute ma vie. Comme ceux qui viennent de quitter la vie, je revois des événements de mon enfance, de mon adolescence, de l'âge adulte : des moments tristes, d'autres plus joyeux mais en même temps j'ai cette curieuse impression que tout est identique, de même nature, sans fausse note ! En fait, tout me semble juste et bien. Je n'ai aucun regret, aucune amertume devant tout ce qui s'est passé jusqu'à aujourd'hui. J'ai juste envie de remercier pour tout cela... Au moment même où cette onde de gratitude m'envahit, une grande lumière m'enveloppe, une lumière bienfaisante et douce. Je me dis : *maintenant*, tu peux y aller.

Je reviens dans mon corps... Je repars aussitôt...

Cette fois je suis debout dans une pièce devant un grand miroir. Je suis fatiguée. Dans la main gauche, je tiens trois pierres précieuses : rubis, saphir, émeraude. Je sais que c'est un bon signe. Je veux alors me regarder dans le miroir et à la place de mon reflet je vois un grand sage de l'Inde. Sur l'ensemble de son visage et de son corps défilent différents visages, parfois beaux parfois très grimaçants. Je sais alors au plus profond de moi que tous ces visages, toutes ces expressions, tous ces événements, n'ont aucune différence entre eux. Ils sont tous divins de la même façon...

Ce sont les gens et les événements que je rencontre dans ma vie. Ils sont tous des expressions différentes de moi, ils ne sont rien d'autre que moi et voulus par une même source...

Je réintègre mon corps.

Mes guides sourient comme pour me souhaiter un bon retour parmi eux : quel accueil chaleureux !

« Si les êtres de la Terre cessent de penser que leur vie dépend des événements et des rencontres extérieurs à eux, s'ils cessent d'attendre d'autrui ce qui peut les aider, s'ils acceptent leur rôle de créateur sans orgueil et sans culpabilité, alors un grand pas sera fait pour cette humanité. Chacun de vous attire à lui les êtres et les événements qui sont d'autres facettes de lui-même. Tant que l'homme luttera contre cette évidence, tant qu'il n'acceptera pas de voir en *l'autre lui-même* une opportunité de mieux se comprendre, de mieux se connaître, la vie lui semblera éternellement difficile.

— Nous incites-tu par là à la passivité ? J'ai déjà entendu cela : *tout est bien, tout est beau, tout le monde est gentil*, et j'avoue que cette naïveté m'agace parfois profondément, ne puis-je m'empêcher d'intervenir.

— Je ne parle pas ici de passivité mais d'acceptation. Ne pas agir est sans fondement mais réagir n'est pas non plus une clé de l'évolution.

Réagir concerne une action par rapport à l'extérieur qui par un événement, appuie en toi comme sur un bouton pour réveiller ce qui n'est pas vraiment toi.

Agir est uniquement ce que tu fais en fonction de ton être profond et véritable, et non par rapport à ce que dit ou fait *l'autre*. De même, la passivité signifie que tout dépend de l'extérieur. Alors que l'acceptation ouvre les portes des grandes lois universelles : celles qui nous disent qu'il est plus important de modifier le regard que l'on porte sur ce qui nous arrive, que de changer l'événement lui-même car c'est le regard intérieur qui seul, modifiera l'événement extérieur.

Votre humanité s'épuise à lutter contre ce qui lui arrive, à nager à contre-courant, à refuser la vie et ce qu'elle propose parce qu'elle ne s'aime pas !

— Quel constat ! » ne puis-je m'empêcher d'acquiescer un peu tristement.

« L'humanité est à la recherche de son propre cœur. Les humains aiment l'argent, la gloire, les honneurs, le pouvoir parce qu'ils n'ont pas encore trouvé l'Amour. Ils cherchent inlassablement à l'extérieur d'eux-mêmes ce qu'ils ne pourront trouver qu'en eux. Ils veulent que d'autres les aiment et ils sont prêts à toutes les compromissions pour y arriver sans s'apercevoir qu'ils sont incapables de s'offrir ce qu'ils demandent à l'extérieur.

La Terre est en manque d'amour et la clé de votre évolution actuelle passe par cette redécouverte.

— Cela va paraître bien égoïste par rapport à tout ce qui a été enseigné jusque-là, avançai-je.

— Tu le dis toi-même, lorsque le Grand Instructeur que fut Jésus a dit : *Aime ton prochain comme toi-même*, il a été très clair – bien qu'il sache que ses paroles auraient de multiples interprétations.

La plupart de vos religions se sont appuyées sur la première partie de cette phrase pour que peu à peu vous vous oubliiez vous-mêmes. Sois certaine cependant que nul ne peut aimer s'il ne s'est d'abord offert ce cadeau à lui-même. S'aimer ne signifie pas se considérer plus que tout autre mais s'accorder de l'attention, du respect, de la tendresse, de la bienveillance comme à tous ceux que l'on aime. Il est difficile, crois-moi, de tendre une main vers quelqu'un si l'on n'aime pas cette main ; il y a peu de civilisations qui s'aiment aussi mal que celle qui est actuellement sur Terre... Et c'est aussi pour cela que vous êtes venus : pour réapprendre à vous sourire, à accepter ce que vous êtes, à vous aimer pour mieux aimer. »

Le globe de cristal de la salle des informations scintille de mille éclats de lumière. Les murs palpitent à nouveau et j'entends un bruit sourd, un martèlement qui me fait penser aux battements d'un cœur... Mais des battements désordonnés et lourds. Autour de moi, le vide. J'ai la sensation de glisser le long de parois qui respirent et m'aspirent.

« Tu es dans le corps de la Terre, me dit le guide à l'énergie plus masculine ; son cœur aussi palpite et tu navigues dans un de ses grands nadis*. Comme tout corps humain,

---

* Veines subtiles du corps humain et aussi de la Terre par lesquelles circule l'énergie de la vie.

elle a aussi des chakras, des nadis, un cœur et ce cœur a besoin de mieux respirer. Il étouffe à l'image de son humanité, c'est ce qui te donne, entre autre, cette sensation de pesanteur et d'irrégularité.

Il est une loi cosmique que vous devez maintenant connaître et comprendre. Elle vous a été dite bien souvent : à chaque fois que l'un d'entre les humains se lève à l'intérieur de lui, ouvre son cœur et ses bras, s'accepte, soulève les barrières qui sont les siennes, fait un pas en avant, des centaines d'autres humains font ce même pas avec lui.

Si d'autres humains font un pas en avant, la Terre allégera son fardeau, si la Terre respire mieux, l'ensemble du cosmos en bénéficiera... car nous sommes tous l'Un du Grand Tout.»

Le cœur de la Terre continue à battre autour de moi, pesant et sourd. Les grands nadis sont parfois lumineux, souvent opaques. Cette fois, je ne les visite plus, ils sont autour de moi et je ne sais plus au centre de quoi je suis... à l'intérieur ? à l'extérieur ? nulle part !

« Ce monde a voulu ériger des lois qui ont emprisonné l'espace et le temps, continue la voix. Vous avez créé un temps, un intérieur, un extérieur, des séparations multiples pour vous différencier les uns des autres. Bientôt vous chercherez à mettre en équation l'amour, la vie ! Ce jour-là, ils s'étioleront... car la mise en éprouvette de vos grands principes de vie emmure ces concepts qui n'ont ni commencement, ni fin.

Si nous employons les mots *présent, futur ou passé,* intérieur ou extérieur, c'est pour une compréhension plus simple de votre part, mais de cela aussi nous reparlerons dans un autre lieu.

Les lois humaines qui sont actuellement sur Terre ont amoindri l'Espace et le Temps dans l'espoir de mieux les comprendre, de mieux les connaître; de la même façon que vous emprisonnez, disséquez, torturez le peuple animal croyant ainsi mieux le saisir. On ne tue pas la vie pour comprendre la vie! On n'enferme pas le temps et l'espace en espérant les embrasser plus totalement.

Ce sont là des anomalies incompatibles avec les connaissances actuelles que votre humanité peut enfin atteindre. Vos notions d'espace et de temps ont été occultées il y a bien longtemps. Je m'explique: après bien des bouleversements et des transformations de l'humanité terrestre, des êtres de diverses planètes ont fait en sorte de brider l'évolution des habitants de la planète. Certains l'ont souhaité par désir de pouvoir, d'autres, pour préserver les connaissances et ne les rendre accessibles qu'au moment propice où le cœur de cette humanité serait suffisamment ouvert, pour les recevoir sans en faire une arme contre elle et le cosmos dans son ensemble.

— Mais alors il s'agit d'une intervention extérieure! Je pensais que nous étions les seuls créateurs de nos vies?

— C'est toujours exact: cette intervention a pu avoir lieu parce qu'en vous, des parcelles de vous étaient en résonance avec cela. Rien ne peut se faire sans votre accord profond, je le répète. Ces connaissances, ainsi que l'avance de la planète Terre, ont été maintenues ainsi pendant un temps, qui pour vous est de plusieurs milliers de vos années. Lorsque par un acte fabuleux d'amour, l'être Jésus est arrivé sur Terre, son but essentiel était de permettre de rouvrir pour la Terre la possibilité de continuer son évolution, en effaçant une partie de son passé. La seule clé qui pouvait ouvrir cette porte à la planète et à son humanité, était celle d'un amour inconditionnel fabuleux, au-delà de tout. Il a permis ainsi que d'autres grands instructeurs avant et après lui, de restituer une respiration nouvelle à toute l'humanité et de lui donner la possibilité de prendre un nouveau départ.

Cependant, sur d'autres galaxies, il avait été convenu que la connaissance individuelle serait encore maintenue occulte tant que l'être humain n'aurait pas déployé les ailes de son cœur.

Aujourd'hui, nous vous proposons d'ouvrir d'autres portes en vous. Les particules et les brins d'ADN acquièrent actuellement depuis quelques-unes de vos années, des capacités et une autonomie jusqu'à présent retenues et emprisonnées.

Pourtant, tout de ce qui arrive aujourd'hui a été voulu et accepté par vous. Ces brins d'ADN sont comparables à des mémoires mais aussi à de grands axes de circulation entre la planète Terre et le cosmos. Par eux, vous pouvez rejoindre toutes les autres humanités, entrer en contact avec toutes les formes de vie, circuler dans toutes les dimensions et dans tous les espaces-temps.

N.D.A. : La pratique du « Don » dans le petit livre « Sois » me paraît tout à fait appropriée à ce qui m'est dit ici.

Seulement, pour en avoir l'usage, il vous faut retrouver une dimension dont vous percevez tout juste l'existence et cette dimension passe par le cœur !

Je ne peux en dire plus car vous ne pourrez à ce niveau qu'interpréter des mots et des concepts, jusqu'à ce que vous ayez expérimenté par vous-même cette dimension.

Tant que vous serez au service de votre mental ou de vos émotions vous n'aurez qu'un aperçu opaque et voilé de ce qui vous est proposé et n'est éloigné de vous que d'une portée de main ou d'un pas. Vous vous débattez dans un temps et un espace à l'extérieur de vous alors que tout est en vous. Je sais que c'est difficile à concevoir lorsque le mental, pendant nombre d'incarnations a créé d'autres conceptions... mais tu vas par toi-même expérimenter cette notion d'espace d'ici peu.

Les *Gris*, dont beaucoup et toi-même avez parlé, sont venus sur Terre dans un but tout à fait personnel, mais sans le savoir, ils se sont mis au service de la grande lumière. Rien ne peut exister sans elle... Leur technologie avancée a permis un bond en avant pour votre science et eux-mêmes se transforment au contact de la planète Terre et de l'énergie qu'elle transmet.

La Terre, qui comme tout être humain a un corps, une âme, un esprit émet une énergie continuelle à la surface du globe. C'est cette vibration qui opère des transformations chez les *Gris* dont le mental très structuré a endormi les dimensions que seuls, les sentiments, feront refleurir.

Ces êtres qui ont des actions très *discutables*, ont eu la possibilité de pénétrer votre monde par le sas, la porte de votre propre mental trop structuré. Pour que deux êtres se rencontrent, pour qu'un acte s'accomplisse, il faut toujours et je le répète, qu'un instant de connivence, de contact ait eu lieu. »

Un silence doux et apaisant s'étend comme une fin d'après-midi d'été ; seul un bruissement qui me fait penser à celui des cigales me berce, mais je n'ai aucune idée de sa provenance.

« Suis-nous ! »

Les trois êtres se lèvent et m'invitent à leur emboîter le pas. « Tu vas visiter une autre pièce importante de ce vaisseau. »

D'un geste de la main, l'être le plus féminin rend visible une sorte d'ouverture de la dimension de nos portes, dans l'un des murs gris et chatoyant de la salle des informations.

J'ai l'impression non pas de marcher mais presque de glisser sur un sol très fluide dans un corridor vaste et lumineux. Là aussi la lumière semble venir de partout et de nulle part.

D'un signe de la main, mon guide, me désigne une ouverture sur la droite. En fait, ce n'est pas une ouverture mais une porte de la même matière que la boule *cristal diamant*. Je m'approche et le spectacle me laisse pensive. Sur des sortes de lits sont allongés des corps… tous semblables à ceux de mes guides. En regardant plus attentivement, je vois une lumière qui nimbe chaque enveloppe. Cette brume légère mais peu habitée me donne toujours l'indication qu'il s'agit là d'êtres en « voyage », ni morts, ni endormis, mais en léthargie profonde.

« C'est la salle des *voyages*, reprend le guide plus masculin ; c'est là que nos compagnons viennent lorsqu'ils doivent communiquer de façon plus concrète avec vous ou aussi avec les leurs restés sur leur planète. Cet endroit leur permet de laisser leurs corps l'espace d'un temps relativement long pour vous, environ quelques mois, sans risque de le voir s'amoindrir, épuisé ou endommagé d'une quelconque façon. »

Je souris, moi qui sors quelques heures seulement et dois regagner mon corps pour qu'il ne reste pas privé de sa substance vitale physique !... En me tournant vers mes guides, je m'aperçois que celui de la salle des informations n'est plus là. Sans commentaires, nous continuons le long du vaste corridor qui semble descendre progressivement en pente douce.

Une autre salle m'est montrée toujours à travers une porte vitrée. Cette fois, c'est une vaste pièce aux nombreux « fauteuils coquille ». Sur chaque accoudoir est posé un appareil avec des boutons. Sur le dossier semble suspendu quelque chose qui pourrait ressembler à des écouteurs très *design*.

« Dans ce lieu, chacun peut en quelques heures de votre temps, apprendre d'une façon extrêmement précise toutes les langues existant sur votre planète.

— Je croyais que vous communiquiez par télépathie ?

— Oui, et c'est le plus souvent ainsi mais même de cette façon, nous avons besoin de nombreux concepts utilisés chez vous afin d'en envoyer l'image. D'autre part, certains d'entre nous vivent quelques jours, quelques années parmi vous et il nous est alors nécessaire de parler la langue du lieu où nous devons séjourner.

— Quel est ce moyen par lequel l'apprentissage est si rapide ?

— Il s'agit ici de connecter certaines zones du cerveau à des images et des sons, pour que l'imprégnation soit quasi instantanée. Sur chaque fauteuil il y a des écrans mais l'être qui apprend n'a pas les yeux ouverts. Il est dans un état de repos complet sans sommeil. Les images pénètrent en lui par des circuits subtils avec lesquels il est connecté. De cette façon, il nous est possible d'entrer en communication avec nombre de données à apprendre et à retenir, de comprendre aussi votre façon de les utiliser. »

La pente du corridor que nous avons emprunté se fait plus forte, jusqu'à ce que nous ayons atteint une large baie vitrée qui m'offre une vision superbe et inattendue.

Chapitre 5

La planète-enjeu

Là, dans une immense salle voûtée reposent, c'est la sensation qui m'habite alors, des *engins* aux formes et aux dimensions diverses. Ils ont en commun une forme ovoïde et une matière brillante et fluide qui les recouvre, ne laissant apparaître ni portes ni hublots comme je pouvais l'imaginer. Ils sont tous posés sur des pieds plus ou moins hauts, un peu semblables à des pattes d'araignée en plus gros.

L'ensemble des engins semble vivre de la même vie que les murs de la salle des informations.

L'un de mes guides pose alors une main sur l'une de mes épaules :

« Viens, nous allons te montrer ce dont nous t'avons parlé un peu plus tôt... »

Nous nous dirigeons tous trois vers l'un des petits vaisseaux qui, par le même signe de la main de mon guide féminin, nous ouvre une porte jusque-là invisible. Je suis mes hôtes et je monte un escalier que je ne vois pas, mais qui me permet de pénétrer par l'ouverture d'où laquelle jaillit un rai de lumière.

Un regard circulaire me permet d'admirer une salle qui me paraît être celle de pilotage. De profonds *fauteuils coquille* captent mon attention. Il y en a sept autour d'une table, au centre de laquelle tourne en suspension une petite sphère lumineuse... Un peu semblable, en beaucoup plus petit, à celle de la salle des informations.

Trois autres vastes fauteuils, sont face à ce qui me semble des claviers aux multiples boutons et manettes, surmontés d'une immense baie vitrée.

Nous prenons place dans ces fauteuils tandis que la voix sereine du guide féminin continue :

« Nous allons visiter quelques endroits de la planète Terre, pour que tu comprennes de manière plus concrète ce que nous voulons dire par espace-temps et matière. »

D'un même mouvement, nous nous calons au fond de nos fauteuils et j'attends avec intérêt la suite de cette sortie.

L'être plus masculin prend l'une de mes mains et la pose sur un bouton du clavier.

« Tu aurais pu faire ce voyage avec ton corps physique légèrement modifié par nos soins. Les vaisseaux peuvent se prêter à ce type d'expérience sans qu'il y ait obligation de laisser le corps physique dense qui est le vôtre. Regarde et ressens ! »

Nous appuyons sur le bouton, lorsque tout à coup, je sens à l'intérieur de moi comme un bourdonnement très subtil, un bruissement semblable à celui que j'entends parfois lorsque je quitte mon corps physique.

« Vais-je quitter aussi ce corps subtil ?

— Il ne s'agit pas ici de quitter mais plutôt de transformer. En fait, on ne quitte jamais rien ni personne ; on tourne en soi un *bouton* subtil qui transmute ce que vous percevez non pas à l'extérieur de vous mais en vous, c'est cela qui vous donne l'impression de changer. »

Je reste perplexe mais l'immense baie vitrée qui s'éclaire tout à coup efface toutes mes interrogations. Je ne peux retenir une exclamation :

« C'est merveilleux ! »

Devant moi, autour de moi, scintillent des milliers d'étoiles. Je prends un bain d'étoiles ! Les fauteuils n'ont plus d'existence, l'écran s'efface, invisible ; c'est presque trop beau.

« Trop beau ! reprend le guide à la voix plus masculine. Souviens-toi des paroles que vous avez écrites il y a quelques-unes de vos années : *le beau fait partie intégrante de mon essence.*

Le monde ne peut se créer sans harmonie. De l'harmonie découle la beauté ; non pas celle artificielle que vous recherchez au prix de tout rejet de vous-mêmes, mais une autre, celle qui imprègne toute forme et apparaît au-delà des formes. »

La voix s'arrête et les étoiles arrivent à une vitesse inimaginable vers moi, elles sont accompagnées de mondes, de galaxies, de… sensations vertigineuses ! C'est l'explosion ! J'ai le souffle coupé, car jamais je n'ai vécu cela avec autant d'intensité, même lors de nos plus beaux voyages hors du corps. Cette fois, je suis prise dans un tourbillon de lumières, de galaxies, d'étoiles, de mondes. Des visages apparaissent souriants, grimaçants, jeunes, vieux. Je les connais, ce sont les miens, des masques, toujours des masques qui se dissolvent les uns après les autres.

« Les voyages à l'extérieur de Soi sont aussi et toujours des voyages à l'intérieur de Soi ! La voix est enjouée. Dans ces mondes, extérieur ou intérieur n'a pas d'existence propre. Tout est Un ! »

J'ai tout à coup la sensation d'entendre, mais oui, j'entends un son, une musique, un souffle, une respiration et je me souviens… Je me souviens de ce que j'avais écouté sur Terre chez des musiciens qui essayent de reproduire la *musique des sphères,* de ces lasers arrangés à partir du son des planètes captés par la N.A.S.A. C'est bien cela ! Est-ce bien la *musique des sphères ?* Je suis enveloppée par le son des étoiles, des planètes…

« Sur tous les mondes existants, tout a une vie, tout a une aura, tout émet un son, tout dégage une odeur ou un parfum mais sache que si toutes les planètes de ton système solaire émettent un son, chacune d'elles correspond à une note précise et cette note est en harmonie avec toutes les autres notes émises dans ce système solaire. Il existe pourtant une note qui est encore mal accordée, une note dissonante, celle émise par la Terre.

Actuellement, il vous est donné l'opportunité de rentrer dans le congrès galactique et intergalactique. Des propositions ont déjà été faites, par l'intermédiaire de vos gouvernants, à ceux qui dirigent votre monde. Mais ceux-ci aiment encore à garder l'exclusivité qui permet de séparer ceux qui savent des autres, de créer des préférences et aussi des différences propices aux divisions.

Les dissensions internes de votre monde ne permettent pas que vous puissiez rejoindre *les mondes unis à ce jour,* mais, lorsque vous aurez la profonde conviction que vous n'êtes qu'un seul peuple aux origines diverses au milieu de centaines d'autres mondes habités, alors vous découvrirez avec étonnement combien parfois, vous vous encombrez de bagages inutiles et combien ce qui vous attend est beau.

À nos yeux, vous êtes encore semblables à de tout jeunes enfants qui craignent de *lâcher le bord de la piscine,* selon votre expression, pour apprendre à nager ! Pourtant, il n'y a guère d'autres solutions. Aussi longtemps que la peur de perdre – que ce soit votre notoriété, vos biens, votre réputation, votre vie – sera plus forte que l'envie de découvrir et d'aimer, vous souffrirez toujours de la sensation de solitude et d'ennui qui habite si souvent vos âmes.

— Est-ce là un jugement, ne puis-je m'empêcher de rétorquer ?

— Non, simplement la constatation de ce que nous voyons. Le jugement impliquerait un sentiment que nous n'éprouvons pas. »

Le tourbillon a cessé et le vaisseau semble glisser sur le bleu de la nuit. Tout à coup, je vois avec stupeur que nous nous dirigeons droit vers la grande pyramide d'Égypte. Je m'enfonce dans mon siège, ne sachant ce qui va se passer.

71

À cette vitesse et dans un contexte logique, nous devrions nous écraser contre les parois du monument et en endommager une partie.

C'est alors que la main de l'être plus masculin prend la mienne et la pose sur une sorte de manette. Nous faisons un mouvement d'un quart de tour qui a pour effet de me coller au fond de mon fauteuil. Sensation de vitesse qui s'accélère. Nous traversons avec une étonnante facilité les murs épais de la pyramide. Seuls des picotements, des fourmillements me parcourent de la tête aux pieds.

« Les picotements que tu ressens sont les particules de matière qui traversent ton corps astral.

La malléabilité de nos vaisseaux, conjugués à notre connaissance de l'espace et du temps, a permis ce que tu viens de vivre. Si un observateur s'était tenu là à cet instant précis et avait regardé en direction de la grande pyramide, il aurait vu ce que les habitants de la Terre nomment OVNI. Puis cet ovni aurait disparu quelques instants plus tard. En fait, c'est l'accélération des particules de vie du vaisseau qui crée cette invisibilité.

Sur Terre, certains des vôtres possèdent des connaissances de ce type car des êtres d'autres planètes, moyennant certains avantages, leur ont offert une technologie non négligeable.

Ainsi, lors de votre guerre avec Saddam Hussein, un avion invisible lui avait été proposé, lui assurant ainsi un atout sérieux pour la victoire. Cette intervention ne put être achevée en temps voulu ce qui a largement contribué à l'accord de paix qui s'en est suivi. »

J'ai l'impression fugitive que les mots coulent et s'imprègnent en moi comme sur une bande magnétique avec cependant une agréable sensation de fraîcheur et de paix.

J'ai par instant la crainte de ne plus me remémorer avec exactitude les données les plus techniques ou scientifiques qui me sont induites mais je sais aussi que le moment venu, ma mémoire se déroulera fidèlement comme sur un enregistreur.

Calée dans mon fauteuil, je me mets à penser fortement à ce qui vient de m'être dit.

« Pourquoi faut-il que des êtres de l'espace mettent leur technologie au service de la guerre et du pouvoir ? »

Le vaisseau semble suspendu, immobile, lorsqu'une voix me parvient en réponse à cette question muette :

« Vous pensez souvent avec naïveté que l'avance technologique d'un être est en rapport avec la qualité de son âme. En effet, cela pourrait être le cas, mais création et amour ne sont pas toujours suffisamment reliés. Aucune avance, aucune création ne peut se faire sans une parcelle d'amour, mais la présence de celui-ci, sa qualité, la conscience que l'on en a, sera déterminante pour ce qui va agir au travers de cette création.

Sur Terre, vous aussi créez parfois sans amour conscient. Votre technologie elle-même étonne des êtres plus simples, mais est-ce là un signe de l'évolution de l'âme ? »

Je ne peux que hocher la tête en signe d'assentiment, en pensant à tous ceux qui naissent mal-aimés, de parents inconscients, à tous ceux qui, à l'aide de connaissances scientifiques, ont pu envahir, coloniser, soumettre des peuples à l'âme plus pure et moins *savante*.

La voix poursuit :

« Les mondes qui entourent la Terre sont tous habités par des formes de vie intelligentes et parfois très différentes des vôtres. Cependant, ces êtres n'ont pas forcément la même vision, les mêmes objectifs concernant la planète Terre.

Les uns, dans un acte d'amour pur, souhaitent aider la planète dans son évolution. D'autres, étudient ce qui se passe par curiosité et dans un objectif qui pourrait ressembler à ce que vous nommez *découverte ethnographique*. Certains ont besoin d'une planète pour y puiser les éléments nécessaires à leur survie, d'autres enfin veulent y asseoir leur pouvoir, leur puissance comme vous l'avez fait dans vos colonies.

Les objectifs, comme tu peux le constater, sont tout à fait divers, et en ce moment précis, la planète est un point d'extrême attraction que personne ne peut plus ignorer. La Terre est un enjeu ! Les différents habitants des planètes proches créent, sur les plans subtils qui entourent la sphère terrestre, des perturbations extrêmement importantes, qui préfigurent ce qui arrive sur Terre par la suite. Vous ne pouvez oublier que si, actuellement, nombreux sont ceux qui multiplient les contacts avec les hommes de la Terre, les objectifs sont très divers.

Il y a dix-huit millions d'années, nous avons accepté et souhaité aider la planète bleue dans son évolution. Cette Terre avait en elle de telles possibilités, un potentiel si vaste, que nous eûmes pour but d'être à ses côtés, comme auprès d'une sœur plus jeune. Dans cet objectif, plusieurs des nôtres ont pris place dans une contrée isolée, la plus au nord de votre planète, afin de transmettre une énergie et aussi un savoir, capables de réveiller peu à peu les êtres qui y vivaient. Nous savions alors que ce que vous nommez des *brins d'ADN,* qui vous permettent de communiquer avec tous les plans et toutes les mémoires à l'intérieur et à l'extérieur de vous, seraient réveillés progressivement selon l'ouverture de vos portes intérieures. Cette fois encore, d'autres êtres qui préféraient vous garder en léthargie, ont freiné ce développement.

Sache simplement que nous n'intervenons jamais en forçant les portes. Il est essentiel pour nous de proposer des changements, et non pas d'induire de façon plus contraignante ces changements.

Certains *êtres des étoiles,* selon votre progression avaient alors pour objectif d'occuper une planète riche et d'en utiliser ses habitants pour leur propre développement et leur service.

Si pour ces êtres, forcer les pensées, les remplacer autoritairement par d'autres, opérer sur des plans subtils afin de mettre des implants pour mieux diriger les consciences ne posait pas de problèmes majeurs, pour nous et pour d'autres, il en était autrement.

Nos technologies avancées nous permettaient alors, et aujourd'hui plus encore, de connaître les pensées des hommes, de les transformer, de les remplacer à l'aide de certaines images touchant des parties bien précises du cerveau et notamment à l'aide de sons. Une scission se créa alors dans nos mondes, entre les partisans des méthodes inductives et ceux qui basaient l'évolution sur une avance plus lente mais plus solide et où toute liberté serait préservée. Nous avions choisi d'aider la planète bleue et ses habitants selon les lois du libre arbitre. À cette fin, nous plaçâmes au fil des époques, nos grands vaisseaux mères sur des lieux propices à la circulation de la lumière et des énergies. Ces vaisseaux, semblables à celui que tu as visité, sont parfois imbriqués dans des points d'architecture sacrée de votre planète car ils transmettent une onde bénéfique et protectrice sur toute une région. Cela ne signifie pas, comprends-le bien, que la région soit protégée de tout. Non, des énergies sont constamment envoyées de nos vaisseaux, mais l'être humain dans sa liberté les transforme en ce qui correspond à son évolution du moment.

Dans ces vaisseaux, il y a des êtres qui méditent en permanence. Ils émettent des sons, des couleurs, des images, des pensées, qui nettoient des zones trop polluées de votre Terre. Ils sont en connexion avec des êtres de leur planète qui eux aussi ont pour but de maintenir une certaine harmonie sur tous les plans, du plus physique au plus subtil.

Ces êtres sont aussi en connexion continuelle avec ceux de votre planète qui œuvrent pour l'amour et la joie.

Certains d'entre vous, chaque nuit, consciemment ou non, sortent de leurs corps et se réunissent par groupes avec les nôtres pour envoyer des vibrations qui aident et nettoient le surplus de pollution psychique qui étouffe la Terre et ses habitants.

Sache cependant que bien que nous vous aimions, et parce que nous vous aimons, jamais nous ne déciderons pour vous de votre *futur*, jamais nous ne ferons pour vous, ce que vous pouvez accomplir par un élan de votre cœur.

— Il vous serait pourtant si simple d'apparaître et de nous dire que faire, ne puis-je m'empêcher de suggérer !

— Si simple et tellement peu utile !»

La réponse et le ton ferme ne laissent subsister aucun doute.

« Nos apparitions agiraient sur votre émotivité, sur votre mental, sur votre goût pour le drame et pour le spectaculaire, mais votre cœur n'en serait pas plus ouvert. Ouvrez votre cœur et le reste viendra, car dès cet instant votre perception sera autre, plus vaste, sans peur et sans risque de sombrer dans une inutile nostalgie.

— Comment pouvons-nous différencier les contacts positifs des autres ?»

Mes guides sourient et la voix de lait me pénètre à nouveau :

« Vous aimeriez une recette précise là où il ne peut y en avoir. Quel que soit le contact vécu, rien ne peut être mauvais, car si cela existe pour l'un de vous, c'est aussi parce que son âme, son corps, avaient cette nécessité. Sache cependant que la forme des vaisseaux de tous ceux qui aident la Terre est différente de ceux qui travaillent pour eux-mêmes. Les premiers sont perçus comme des formes rondes ou ovoïdes, les seconds sont vus avec des angles, sous formes de triangles.

Vos films relatant des contacts extraterrestres sont, sur Terre, très agressifs pour la plupart. Les *étrangers* à votre planète sont souvent des envahisseurs. Des dirigeants habiles ont beaucoup d'intérêt à induire ces idées en vous et dans les générations qui suivent pour élever les vibrations de peur, de séparativité, d'agressivité.

Éveillez en vous la confiance sans naïveté. *Tout ce qui vient des étoiles n'est pas forcément positif,* dis-tu parfois et tu as raison mais nous pourrions ajouter : *éloignez de vous la peur et soyez confiants, car l'ombre est aussi au service de la lumière.*

Vous êtes actuellement à un point d'une extrême importance, où vous devez lâcher ce qui vous sécurisait afin de ne pas être engloutis par cette sécurité. Laissez vos peurs car vous n'avez réellement rien à perdre d'essentiel, soyez confiants dans chaque élément que la vie vous offre, chaque rencontre, chaque événement. Tout est voulu par vous au plus profond de vous. Cessez d'agir pour agir, de prendre pour donner, de juger et de vous juger. Soyez !

Vous seuls ne percevez plus la lumière qui anime votre être, pourtant elle est là plus intense et plus prête à jaillir que jamais auparavant. Ne butez plus sur des concepts usés ou des idées vieillies ; accueillez ce qui vous est proposé et expérimentez-le. Souriez-vous enfin car vous êtes la vie ! »

Chapitre 6

La face cachée de la lune

Ces derniers mots ont sur moi un effet revitalisant, je sens renaître en moi un espoir, une envie d'aimer la vie plus forte encore qu'auparavant, et d'un sourire qui ressemble à un soupir de soulagement, je remercie mes deux compagnons de route.

Vus d'ici et à cet instant précis, nos agissements, nos querelles, nos tracasseries quotidiennes me semblent tout à coup sans matière, sans réelle existence.

« J'ai l'impression que bien souvent, par peur, nous nous abstenons de vivre et que pour compenser, nous rêvons notre vie, mais d'un rêve sans puissance, et sans joie.

— Si pour toi rêver signifie créer, alors, chaque planète de cet univers, chaque être crée continuellement son monde et le rôle qu'il y joue pour un temps. Ces créations, ces rôles, n'ont que l'existence qu'on leur accorde et chacun peut les modifier à chaque instant. C'est ainsi que votre futur ne peut avoir que l'importance que vous lui accordez, car il n'a pas d'existence en lui-même. Il n'est qu'une somme de probabilités modifiables à l'instant même.

— Mais alors, que penser des voyages dans le futur et des prédictions actuelles ?

— Il s'agit bien là de probabilités qui peuvent exister, en fonction de votre présent. Ce sont, en fait, des parcelles de votre présent actuel qui parcourent à la vitesse de la pensée votre temps codifié. Certaines seront donc vérifiables par la suite, si rien n'a bougé en vous, d'autres se modifieront en fonction de vos changements intérieurs. Votre futur est ainsi parce que vous l'avez pensé ainsi. Pour nous, il n'y a aucune différence entre le passé, le présent et le futur de même qu'entre le rêve et la réalité. Nous passons d'un état à un autre sans coupure, sans différence majeure, car ce que nous vivons au moment où nous le vivons, est toujours le présent. Cette notion de temps nous permet de passer dans vos différentes époques, tout en sachant que le cloisonnement que vous leur avez donné est une barrière inutile à l'heure actuelle.

Certains de vos chercheurs disent qu'il est impossible que nous puissions venir d'une autre planète car il faudrait un temps infini pour le faire.

Ceci n'est exact qu'au regard de vos notions actuelles d'espace et de temps. Lorsque tu fais simplement une sortie hors du corps, l'espace et le temps changent aussitôt. Tu peux atteindre n'importe quel lieu à la vitesse de la pensée et, par un petit exercice, passer d'un temps à un autre, d'un passé à un futur, comme tu as pu l'expérimenter il y a peu dans la salle des informations du vaisseau-mère. Ton temps présent lui-même est différent, puisque le seul fait d'être uniquement dans un corps plus subtil te permet de vivre en quelques heures ce que tu vivrais sur terre en des années ou en une vie !

— Au fond de moi je comprends tout cela, mais je me sens parfois si maladroite pour l'expliquer clairement !

— Sois sans inquiétude, ces notions seront sur terre de plus en plus développées et les concepts, et les mots pour le dire, viendront au moment propice. En ce moment même, votre humanité ouvre sa quatrième porte. Je m'explique : le long de votre colonne vertébrale vous avez, sur un plan subtil, des centrales d'énergie qui sont en correspondance avec tout ce qui est en vous et tout ce qui est hors de vous. Ces centrales appelées chakras et dont tu parles dans ton livre de thérapie, se développent au fil de votre avance intérieure mais en connexion avec les mondes *extérieurs*. Ils sont bien au-delà des sept que vous connaissez à l'heure actuelle et ils sont l'une des clés de votre croissance.

Chaque centrale, comme tu le sais, est en correspondance avec des glandes endocrines, qui elles-mêmes donnent des informations aux organes qui vous habitent. Le bon fonctionnement de ces axes est donc d'une grande importance. Cependant il est des mondes autres avec lesquels ils sont en connexion. Ces portes, en effet, sont des sas ouverts vers les autres dimensions de votre cosmos.

Jusqu'à présent, votre humanité avait ouvert les trois premières portes. Ainsi, la troisième porte, ou troisième chakra vous a permis de vivre au niveau du monde des émotions et en même temps d'approfondir ce que vous nommez la troisième dimension.

Aujourd'hui, vous commencez à pressentir l'ouverture de la quatrième porte, qui est à la fois celle du cœur, celle de l'amour et aussi l'ouverture vers la quatrième dimension. La moindre parcelle à l'intérieur de vous est connectée au cosmos tout entier, à la connaissance suprême et à l'avance de toutes les humanités.

Plus vous aurez conscience de ce fait et plus vous vous sentirez en communion avec le Tout. La Solitude, la séparation ne seront alors que des mots vides de sens. Ainsi, vous redécouvrirez l'importance de vos gestes, de vos pensées, de vos paroles, qui passent par le respect et l'amour de l'infini qui est en vous. »

Le seul mot qui me vient à l'esprit est : *vertigineux !*

« Je comprends tout cela, mais pourquoi est-ce si difficile de mettre en application ne serait-ce qu'un millième de cette compréhension ?

— Parce que votre monde a peur. Il a peur de rompre cette bulle qui l'entoure et qui lui donne un semblant de sécurité. Vous savez au fond de vous que, lorsque vous aurez ouvert cette porte, rien ne sera semblable à ce que vous connaissez. Vos conceptions s'écrouleront les unes après les autres et rien ne pourra vous faire revenir en arrière.

Cela, d'autres êtres le savent aussi et c'est pour cela qu'imperceptiblement l'étau se resserre autour de vous. La pensée uniformisée, la surveillance accrue, les implants sous forme de vaccins, de cartes ou autres, permettent peu à peu d'instaurer en vous une peur, puis un semblant de sécurité, qui vous rendent de moins en moins autonomes.

— Mais pourquoi ce refus d'intervenir à tout prix ? Pourquoi laisser d'autres exercer sur nous leur savoir et aussi leur soif de domination ? »

J'avais très envie d'une réponse, tout en sachant déjà ce qui allait m'être dit.

« Mais nous sommes toujours présents, c'est vous qui ne nous percevez pas ! Cependant nous ne pouvons agir par la force. Ce serait contraire à tous les grands concepts d'amour et de vie qui sont en nous.

Il est essentiel pour la croissance d'un être, qu'il redécouvre par lui-même ce qui fait sa grandeur, ce qui préside à sa construction subtile et par la suite, physique. La liberté de choix qui vous fait parfois souffrir et commettre ce que vous appelez *erreur*, est une des portes vers cette découverte de vous-même, de votre Divinité. C'est aussi ce qui fera votre force, et nous ne pouvons ni ne voulons interférer dans ce processus alchimique. Il est des pas que vous devez accomplir seuls, car c'est à cette condition qu'ils seront à jamais inscrits en vous.

Ce que vous acquerrez ainsi fera partie intégrante de votre être et vous offrira une base solide pour continuer votre route.

Ne cherchez pas du secours à l'extérieur de vous, sachez accepter de parcourir seuls un bout de chemin intérieur, sachez aussi que vous n'êtes jamais abandonnés car la lumière n'a pas de limite.

Vous vous sentez seul lorsqu'une partie de vous n'est plus en accord avec votre être de lumière. Vous vous croyez isolés, alors que c'est vous-mêmes qui vous éloignez de vous !... Il arrive trop souvent encore que vous vous sentiez séparés parce que vous pensez que les autres sont *autres*. Cela se produit toutes les fois où vos pensées, vos paroles, vos actions ne sont plus en accord.

Votre mental inférieur est un excellent agent de ce processus. Lorsque votre cœur pense et agit dans un acte d'Amour pur, ne remarquez-vous pas combien votre mental s'agite alors ? *Tu donnes, mais cette personne ne t'aime pas vraiment. Regarde d'ailleurs l'attitude qu'elle a envers toi... et puis, toi qui voudrais aider, tu ne trouves pas que tu aurais besoin d'aide et que personne ne s'occupe de toi ?...* Et c'est alors que dans vos têtes, le *Moi-je* s'éveille et demande son dû avec insistance ; c'est alors que la tête et le cœur se séparent, créant ainsi en vous cette impression de solitude... »

Imperceptiblement, le grand vaisseau glisse sur le velours de la nuit étoilée... Instant magique, où tout est tellement simple !

La voix reprend avec une douceur infinie :

« Dans ces mondes d'ombre et de lumière qui entourent la planète Terre, nous voudrions ajouter un élément qui choquera sans doute une partie de ceux qui le liront. L'Erreur que vous vous attribuiez parfois lorsque vos routes sont autres que ce que vous les imaginiez, n'a dans nos mondes aucune consistance, aucune existence !... De même que les notions de *bien* et de *mal* telles que vous les avez inscrites dans vos êtres, n'ont aucune base solide ! Ce que nous voyons de là où nous sommes, ce sont des êtres qui expérimentent la Vie et ce qu'elle propose. Certains d'entre vous se demandent souvent s'ils sont sur la *bonne voie* ; mais croyez-vous qu'il puisse exister une bonne et une mauvaise voie ? Seule la Vie est là et propose tout ce qui peut casser l'écorce de vos êtres pour que vous puissiez en redécouvrir l'amande ! Vous expérimentez parfois douloureusement ce processus mais n'oubliez jamais que tout ce que vous vivez est unique car c'est votre chemin personnel, votre quête avec ses creux de vagues et ses crêtes, qui de vie en vie vous ramènera chez vous... Non pas à l'extérieur de vous, ou sur d'autres planètes, cela n'est qu'accessoire, mais vers le plus beau, le plus grand de Vous !

Chaque Vie est Unique et Sacrée et celle que vous vivez aujourd'hui vous offre la possibilité de prendre un élan, au-delà de tout ce que vous avez connu jusqu'à présent. Alors souriez à ce miracle de la Vie en vous, autour de vous ; le reste n'est qu'accessoire, car rien d'autre ne vous appartient que ce sourire et le cœur qui l'habite... »

Le silence règne en moi, autour de moi, comme une pause bienfaisante. Je le reçois comme un cadeau pour mieux apprécier ce qui vient d'être dit. Non pour y réfléchir, autre piège de mon mental inférieur, mais pour m'en imprégner.

Je regarde avec une attention nouvelle mes compagnons de voyage, et je sens que d'autres êtres que je ne vois pas sont aussi parmi nous. De légers mouvements me font deviner des présences.

Je fais pivoter mon grand fauteuil dans leur direction. Depuis le commencement de ce grand et fabuleux voyage, c'est la première fois que je prends le temps de les regarder vraiment.

L'infini mélange de force et de douceur qui émane d'eux, m'a permis dès le premier instant cette confiance totale et ce calme qui m'habitent. Leur longue silhouette mince et androgyne, leurs cheveux mi-longs et clairs, donnent une impression générale de fluidité et de légèreté peu commune, quant à leurs vêtements, ils sont assez semblables à ceux que l'on voit parfois dans certaines BD de science-fiction.

Je souris intérieurement, en me disant que parfois l'imaginaire n'est pas très éloigné d'une certaine réalité et en même temps je m'inquiète un peu sur l'accueil qui sera réservé à de telles descriptions.

L'être à l'énergie plus masculine, comme en réponse à mes interrogations muettes, intervient alors :

« Les vêtements que tu vois sur nous sont en quelque sorte ce que tu pourrais appeler des vêtements de voyage. Ils sont adaptés à ce que nous faisons à l'intérieur des vaisseaux mais ces vêtements ont aussi des particularités plus subtiles. »

Je regarde avec plus d'attention encore. En effet, les combinaisons blanches de mes deux amis semblent faire presque partie intégrante de leur personne. Aucune couture n'est apparente et la matière qui les compose ressemble à un tissu fluide aux couleurs changeantes, adaptée aux contours de leurs corps. Seul un petit col droit ressort de l'ensemble du vêtement dont l'extrémité des bras et des jambes est resserrée.

Bien que cette description puisse faire penser à du déjà-vu, de mon côté, je n'ai jamais rien vu de semblable, tant cette matière semble vivante. La combinaison se termine par des *chaussons* blancs d'une consistance ressemblant au tissu et à une autre matière plus solide que je ne connais pas. Mon regard est tout à coup attiré par une ceinture que chacun porte à la taille. Elle est munie d'un boîtier.

« Cela mérite bien quelques explications... Nos vêtements comme tous ceux que nous portons sur notre planète sont d'une matière vivante puisque créés comme nos vaisseaux par la volonté et le cœur réunis. Ils ont en eux une lumière qui varie selon l'état de nos pensées mais aussi de nos besoins. Pour ces vêtements que tu vois ici, la dominante est cependant blanche car elle nous préserve de toutes les scories éthériques qui émanent de votre planète. Le petit appareil que tu vois à nos ceintures nous aide à communiquer avec certains des hommes de la Terre tout en les gardant à une distance indispensable. En effet, les corps physiques humains ne peuvent encore entrer en contact avec les nôtres sans risque pour eux. Cet appareil nous permet également de créer autour de nous une onde de forme particulière qui filtre les informations subtiles qu'inconsciemment vous émettez sans cesse. Ainsi, la communication peut-elle s'établir sans dommage et dans toute son essence. »

La grande baie vitrée du vaisseau s'éclaire tout à coup. À nouveau, je me sens collée au fond de mon siège, avec cette sensation d'être propulsée en avant. Mes yeux hypnotisés suivent la traînée des étoiles, des planètes, des galaxies. Des jaillissements de lumière nous entourent nous sommes au cœur d'un fantastique éclat de lumière qui me fait aussitôt perdre la notion de l'espace et du temps. Des sons tourbillonnent en moi, les lumières résonnent, je n'ai plus aucun point de repère…

Après un temps dont je n'ai aucune idée, l'encre bleue de la nuit nous entoure à nouveau dans un calme épais, dense, presque palpable. Une boule énorme et d'une luminosité un peu froide occupe tout à coup l'écran de la baie vitrée. Je sursaute… Que peut-il nous arriver si nous continuons vers elle de la sorte ? Allons-nous la traverser comme précédemment avec la pyramide ?

Le vaisseau glisse à la même allure et sans même que je puisse m'en rendre compte, la sphère géante est contournée.

« Oh ! Mais elle ressemble à… »

J'ose à peine y penser, lorsqu'une main se pose sur mon épaule avec ces mots :

« … à la lune, et tu as raison ! Cet astre qui exerce une influence sur tout ce qui touche à l'élément eau en vous et autour de vous, a aussi pour nous et pour d'autres une grande importance. Il fut une époque où il était en mouvement sur lui-même puis vint un moment où, avec son accord et plus précisément avec l'accord du grand être qui l'habite nous l'avons immobilisé.

Votre lune est depuis bien longtemps maintenue artificiellement sur son axe, ainsi, vous voyez toujours l'une de ses faces tandis que l'autre que vous nommez parfois *la face cachée* sert de point de rencontre aux différents vaisseaux venant des planètes confédérées. Ces *bases* permettent des regroupements et des départs vers des mondes, tels que le vôtre par exemple. »

Comme si nous étions à bord d'un avion, nous approchons maintenant d'une série de bâtiments, et de là où je suis maintenant je perçois de larges traces sur le sol, qui pourraient faire penser à des pistes d'atterrissage. Sans un bruit, nous nous posons un peu à la manière d'un hélicoptère, dans un mouvement vertical... Tout autour de nous, la nature est aride, presque inhospitalière. Des rochers sont creusés, semblables à d'immenses garages, où des véhicules aux formes diverses et inconnues de moi, paraissent attendre leur équipage. Aucune autre vie n'apparaît ici.

« La lune de votre terre a aussi une autre fonction, sur un plan plus subtil. Ainsi, lorsqu'une planète a terminé un cycle de son évolution et se transforme, elle passe sur un autre niveau de vibration et ses habitants font de même. Tu n'ignores cependant pas que certains êtres avancent plus lentement. Une lune qui est en quelque sorte comparable à un satellite d'une terre en évolution se crée alors. Elle offre ainsi son corps pour que des êtres puissent évoluer à leur rythme et connaître les expériences nécessaires à leur croissance. Chaque planète a une ou plusieurs lunes établies sur ce même principe. De vos *véhicules*, vous pouvez voir nos bases qui sont assez densifiées pour cela, mais la vie qui y règne ne peut vous apparaître, car elle est à un niveau trop éloigné du vôtre pour que vos yeux physiques la perçoivent. »

Mes compagnons se lèvent et je les suis en direction d'une ouverture pratiquée à même le sol. En un instant, et sous leur regard amical, je suis aspirée dans un cône de lumière qui me dépose en douceur sur le sol, juste entre les pattes métalliques du vaisseau

L'un des êtres qui m'accompagne pose sa main sur mon épaule et nous avançons ensemble vers une destination qui m'est encore inconnue. Dans nos déplacements, j'ai toujours davantage la sensation de glisser, que celle de marcher, et cette manière de se propulser ne m'étonne plus guère. Nous gravissons ainsi avec facilité une montagne rocailleuse et sèche. Mes pieds, bien que non physiques, sentent les petits cailloux qui roulent et glissent sous eux et cela me surprend.

« Pour venir sur ces mondes, ton corps a gardé une certaine densité... C'est ce qui explique que tu puisses parfois éprouver des sensations plus physiques sur un monde qui n'est pas uniquement à un niveau subtil. »

La voix familière de mon guide parle à mon âme, et j'aime cette communication directe de cœur à cœur.

Sans m'en apercevoir nous sommes arrivés près de l'ouverture d'un cratère qui semble être au sommet de la montagne que nous gravissions. C'est alors qu'en moi j'entends, au centre de mon être, une petite voix, légère, presque imperceptible, comme un souffle léger et printanier. Je ne la reconnais pas :

« Retourne-toi et regarde ! »

J'obéis volontiers et le spectacle me laisse sans voix.

Le souffle léger continue :

« C'est la planète Terre ! Regarde-la bien. »

Magnifique, ronde et bleutée, la Terre s'offre à mon regard et à cet instant même, je comprends pourquoi elle est si souvent appelée *la planète bleue*. Le bleu qui en émane n'est pas simplement le bleu de ses mers, mais aussi celui de son cœur. Elle est là, comme suspendue dans un espace sans limite. Je la regarde avec les yeux de l'âme et avec tout l'amour dont je suis capable à cet instant... C'est alors très précisément qu'elle accepte de me dévoiler son âme : des volutes de couleur entourent son corps. Ce sont des émanations bleues, vertes et oranges, avec du blanc aussi par endroits et l'ensemble serait d'une beauté extrême si... un halo gris n'opacifiait pas ces couleurs, ne les rendait plus ternes... si par endroits n'existaient pas ces taches d'un brun rouge que l'on peut percevoir sur des organes cancéreux... si des lignes plus sombres n'encombraient pas sa surface marquant ainsi un manque de fluidité dans la circulation de ses énergies. Je me surprends à penser en thérapeute, comme lorsque je me trouve en présence d'un être en difficulté qui me demande de l'aide.

La terre me paraît si belle et en même temps si fatiguée, si malade à certains endroits que je ne sais que faire.

La petite voix fine et inconnue reprend alors à l'intérieur de moi :

« La Terre ne peut mourir mais elle peut se secouer, se transformer, changer pour nettoyer son corps et son âme qui souffrent. Le grand être de la Terre a offert son corps et son âme, pour permettre à ceux qui l'habitent d'expérimenter la Vie qu'elle propose. Aujourd'hui, elle a du mal à respirer. Ainsi, elle attend votre transformation mais elle suit aussi les grandes lois cosmiques et elle sait qu'à un moment précis, elle ne pourra plus retarder son évolution propre en fonction de la vôtre.

Ce moment n'est pas très éloigné, dans vos temps terrestres. La planète va prendre une nouvelle grande inspiration suivie d'une aussi longue expiration. Dans ces moments-là, son axe va se modifier, mais il vous est encore possible de le vivre de différentes façons. Le bouleversement, le changement pourra être total, tant sur les plans physiques que subtils si rien n'a réellement changé en vous. Si une transformation s'est opérée sur vos corps subtils, vous ressentirez alors ce changement comme un grand pas en avant pour votre humanité, votre Terre et vous-même. Vos vibrations feront alors que tous vos corps seront sur un plan moins dense. Votre rythme vibratoire, accordé à celui de la planète terre vous permettra de passer ensemble vers un champ de Vie plus vaste.

Avant que vous ne puissiez en arriver là, vous laisserez beaucoup de ce qui vous encombre et que vous croyez être votre force. Vos faux dogmes, vos fausses sécurités s'effriteront les uns après les autres jusqu'à ce que vous reveniez enfin vers vous. »

J'aimerais connaître la provenance de cette voix dont l'assurance et la légèreté me troublent. C'est alors qu'arrive la réponse limpide et claire :

« Mon personnage n'a guère d'importance, sache seulement que je suis d'une planète très éloignée de la tienne et où notre aspect physique te surprendrait, tant il a peu de rapport avec vos normes actuelles. Ma fonction essentielle réside dans l'aide apportée à la transition et à la transformation des grands êtres des planètes de ce système solaire, et d'autres plus éloignés. C'est cela qui me permet de t'apporter ces informations... Je ne suis pas seul, bien sûr, dans cette tache ; et avec d'autres, nous pensons que le moment est venu de vous informer avec plus de précisions de l'évolution qui vous attend. Les moyens pour cela sont divers, mais nous n'en négligeons aucun. Il est urgent que vous sachiez combien la Terre est proche d'une grande transformation ; mais que cela n'ajoute pas à vos peurs déjà si nombreuses ! Toute transformation en vue d'une croissance est belle et souvenez-vous de la phrase de l'un de vos sages : *ce que la chenille appelle la fin du monde, le maître l'appelle papillon !*

De votre confiance en la vie, de votre transparence, de votre non-attachement à des valeurs usées, viendra la fluidité de votre transformation. »

La voix s'est tue un instant, puis reprend presque dans un chuchotement :

« La plupart de vos gouvernants, et ceux qui les dirigent connaissent l'existence de nos bases sur la face cachée de la Lune. Penses-tu que les programmes d'exploration aient été interrompus par hasard ? Il ne peut simplement y avoir de tels programmes sans notre accord et pour cela il faudrait simplement que vos explorateurs cessent d'être des conquérants... »

Chapitre 7

Une curieuse salle d'attente

Conquérant est bien le mot qui convient à nos explorations actuelles, qui bien souvent, se résument à prendre, à se défendre, à posséder... Je me prends à rêver à un monde idéal et réalisable où chacun irait à la conquête ou plutôt à la découverte d'une seule terre : lui-même.

Mes amis de l'instant semblent prendre le chemin du retour et, avec la même facilité et cette même impression de glisser sur la pente rocheuse, nous descendons vers une plate-forme à laquelle je n'avais prêté aucune attention. Une plate-forme curieuse, couleur gris métal, qui tourne comme un plateau mobile sur son axe. Elle semble descendre comme un ascenseur et avec douceur nous dépose face à une ouverture pratiquée dans l'une des parois rocheuses du *volcan*, sur lequel nous nous trouvions quelques instants auparavant. Sans un mot, mes deux guides s'avancent et je leur emboîte le pas, ma curiosité éveillée par ce que je vais découvrir.

Dans un premier temps, l'atmosphère de la pièce et sa luminosité ne me permettent pas de pressentir des présences nombreuses avec une sensation de mouvements, de va-et-vient impressionnants. Mes yeux s'accoutument peu à peu et c'est alors que je découvre autour de moi un décor et un spectacle étonnants.

Des... *êtres* se déplacent dans des combinaisons assez proches de celles de mes amis, mais j'ai du mal à savoir s'il s'agit *d'humains* ou s'il faut inventer un autre mot pour les nommer. D'un geste amical, un de ces êtres nous montre des fauteuils coquille libres et qui semblent nous attendre. Ils épousent nos corps d'une façon parfaite, mais je n'y prête guère attention. Étonnée serait un mot bien faible pour exprimer l'état dans lequel je suis : *médusée* serait plus adéquat !... Je ne peux détacher mon regard de toutes ces *personnes* qui vont et viennent, semblent se parler et se comprendre malgré des aspects physiques si divers. La petite voix chuchotant s'immisce doucement, une nouvelle fois en moi. Je la sens amusée, sans doute par mon étonnement et ma perplexité. De leur côté, mes compagnons semblent en conversation avec deux êtres qui se sont approchés de nous à l'instant même :

« Cette salle est un peu ce que vous appelleriez une salle de repos entre deux voyages interplanétaires continue la voix. Certains s'y retrouvent et font le point sur leur voyage, ils se détendent aussi, et absorbent une énergie particulière que seule cette planète peut leur offrir de par le magnétisme qu'elle dégage. Ainsi, leur route sera facilitée, pour eux comme pour leurs engins interplanétaires.

Je sais que lors de certains de tes voyages hors du corps, il t'est arrivé de rencontrer des êtres très différents physiquement de ceux de la Terre, mais tu n'as jamais eu l'opportunité de les rencontrer en aussi grand nombre et d'une manière aussi proche !

— J'ai vraiment la sensation d'être ici en présence de représentants d'un grand nombre de planètes aux populations plus variées les unes que les autres. D'autre part, je me demande comment ils peuvent percevoir si aisément ma présence subtile. Est-ce moi qui suis densifiée ou ces êtres qui sont tous à un niveau plus subtil ? »

La petite voix reprend :

« Ces êtres sont à un niveau plus subtil que celui des habitants de la Terre, car ils appartiennent tous à des mondes dont l'évolution est plus éthérée que celle de la Planète qui est tienne en ce moment. De ton côté, et cette fois seulement, tu as un peu plus densifié tes corps subtils pour vivre plus profondément cette expérience au niveau de certaines de tes cellules. Tout cela permet une rencontre plus facile... d'ailleurs, regarde ! »

Un être se dirige vers moi, un récipient à la main. Je n'ai pas le temps de me poser de questions car déjà il a entrepris de m'offrir ce qui me paraît être une boisson et commence à me parler.

Il penche sa tête en forme de feuille vers moi, et de ses longs bras noueux et branchus, il accomplit des moulinets qui veulent sans doute exprimer quelque chose que je ne comprends pas encore. Au centre de mon crâne, j'entends des mots très rapides dont je ne saisis pas le sens... Un peu comme un magnétophone mis sur une vitesse plus grande qu'à l'accoutumée. Je panique quelques instants devant mon incompétence, lorsque le regard de mon guide féminin se pose avec insistance sur moi en souriant.

Instantanément, j'ai le sentiment d'être raccordée et, comme si un bouton avait été tourné à l'intérieur de moi, les mots qui me paraissaient incompréhensibles quelques instants auparavant, glissent cette fois en moi avec une parfaite limpidité :

« Il est arrivé parfois que nous accueillions ici des êtres de la planète terre ou habitant cette terre, nous avons été prévenus de ta visite par nos amis qui t'accompagnent. Sois la bienvenue parmi nous ! Nous espérons un jour, pouvoir compter parmi nous des représentants de la Terre. Ce jour-là sera grand pour nous tous, car nous regrettons que les contacts soient jusqu'à présent si peu reconnus, si ridiculisés et surtout si étouffés. Nous connaissons vos lois et vos concepts, j'œuvre particulièrement dans l'élaboration de lois intergalactiques pour plus de fluidité dans nos échanges. Cependant si par le passé, comme vous le faites aujourd'hui, nous avons créé ces lois pour dominer, nous nous sommes vite aperçus de l'impasse dans laquelle nous nous étions engouffrés.

Sur ma planète, nous avons dû arriver à une dévitalisation complète de notre énergie, à un arrêt, une stagnation de notre savoir... En fait, il nous a fallu nous trouver face à un mur énorme, infranchissable, face à une voie sans issue pour que, dans un sursaut, nous fassions marche arrière. Il nous a fallu un long temps de réapprentissage pour nettoyer en nous tout ce qui nous donnait une illusion d'autorité, de sécurité. Lorsqu'enfin nous avons compris que nous ne pouvions avancer seuls et que l'autre n'était pas *l'ennemi* mais un peu de nous, alors seulement, notre planète a commencé à retrouver sa vitalité et nous avons pu rejoindre les planètes confédérées.

Nous souhaitons simplement en nos cœurs que vous ne soyez pas obligés d'arriver jusqu'au mur pour vous ouvrir à d'autres réalités, non pas dans un esprit de protection ou de conquêtes, mais avec l'envie de partager, de collaborer à la Vie dans son essence même. Nous avons longuement et durement payé pour notre soif de pouvoir et nous savons les pièges qui se cachent derrière toutes les propositions que certains êtres font aux chefs non officiels de vos dirigeants publics.

La Technologie sans Amour mène au dessèchement, que ce soit de votre planète ou de vous-même. Il y a bien longtemps nous avons connu ce moment d'exaltation due à une technologie avancée qui nous a menés jusqu'au gouffre : celui de la solitude, du dessèchement, de la stagnation et de la momification. Ne croyez pas que cela ne puisse toucher que la planète sur laquelle nous vivons ou sur laquelle vous vivez. Chaque organisme vivant en subit fatalement les retombées et certaines planètes ont vu leurs habitants se flétrir et dépérir par manque… de Joie. Cela étonne peut-être ceux qui ne connaissent pas les interactions subtiles qui se déroulent entre un organisme vivant et son environnement, mais pour nous c'est une évidence.

La Joie et l'Amour permettent un champ de cohérence entre différentes formes de vie pour maintenir et générer la vie. Si ce champ disparaît par manque de nourriture, plus rien ne peut continuer à fleurir, que ce soit sur un plan subtil ou physique. Faire une séparation entre ces deux mondes est encore une aberration. »

L'être s'est tu, et au milieu de ce visage végétal je capte un regard d'une immense tendresse, d'une immense sagesse. D'un geste souple il replie sous lui l'un de ses longs membres inférieurs branchus. Je prends ce geste pour le désir de faire une pause avant, peut-être, de poursuivre plus loin. Peu à peu, imperceptiblement, d'autres êtres nous ont rejoints et ont formé un cercle autour de nous. Ils semblent écouter, approuver, réfléchir à ce que vient de dire l'un des leurs.

Un être étrange, tant il est gros et difforme se balance d'un pied sur l'autre tandis que son voisin aux formes très géométriques semble absorbé dans une profonde réflexion. Je pense à *Alice au pays des merveilles* lorsqu'elle change de dimension en tombant dans le terrier du lapin blanc ! Comme elle, je vois des personnages plats comme s'ils n'avaient que deux dimensions... Qui croira tout ceci ? Pourtant au fond de moi, j'ai une certitude, même si tout paraît improbable aujourd'hui. Je sais qu'un jour tout sera vérifié. Peu importe le temps ! Je sais que tout cela est réel et je suis sûre que sur terre, là en bas sur cette petite planète, d'autres que moi le savent aussi.

Je suis tout à coup tirée de mes réflexions par la voix d'un être dont je n'avais pas remarqué la présence. Il est grand mais le plus remarquable chez lui est son aspect mi-félin, mi-humain. Ce mélange curieux et harmonieux lui donne une silhouette souple, des membres longs terminés par des pattes et un visage entre le chat et l'homme. Son corps couvert de poils fins ajoute, contre toute attente, une note esthétique à l'ensemble. Il prend la parole s'adressant à moi de la manière la plus naturelle qui soit :

« La Terre a une histoire tout à fait particulière et si actuellement nous nous intéressons davantage encore à elle, ce n'est cependant pas la première fois... De multiples fois, au cours de vos âges, nous sommes venus vous visiter. Nous avons contacté les êtres les plus aptes à nous comprendre dans chacune de vos grandes civilisations et à chacune de vos grandes périodes d'humanité. Il fut des moments où certains parmi les hommes initiés avaient régulièrement des contacts avec nous et nos planètes. Ainsi, la Terre et ses habitants ont pu prendre leur essor. Toutes les grandes traditions, celles que vous connaissez, et celles dont vous avez même oublié le nom, ont eu des contacts avec nous. Lorsque je dis *nous*, comprends bien qu'il ne s'agit en rien de ma race seule, mais de multiples races aux connaissances diverses permettant d'inclure des schémas d'avancement dans ces civilisations.

Certains humains, longtemps, bien longtemps après, lors de périodes plus obscures, se sont souvenus de nous et ont établi des dogmes croyant résumer ainsi notre enseignement. Ils ont aussi érigé des statues et parfois ont fait de nous des dieux. Ils avaient oublié l'Essence même de notre Venue, le Sens de notre enseignement. Le contact s'est alors rompu car l'énergie humaine ne le permettait plus. Les hommes les plus avides de pouvoirs dénaturèrent alors nos paroles à leur profit et se servirent de nous pour diviser et organiser des sacrifices devant soi-disant nous apaiser... Ainsi, voulant nous retrouver, ils nous écartaient de plus en plus de leur cœur... »

L'être fit une pause. Son regard d'un bleu intense reflétait l'infini et je me serais perdue dans de tels yeux, où tout parlait d'amour et d'éternité s'il n'avait repris :

« Nous aimerions que sur la planète Terre vous ayez une approche autre de ce que fut votre passé. Il est des événements que vous ne devez plus ignorer, car cette connaissance vous donnera une plus grande possibilité de choix. L'ami qui t'a déjà parlé sait tout cela avec beaucoup plus de précision encore que moi, je le laisse donc continuer. »

D'un geste courtois et déférent il désigne l'Être-Feuille qui déplie l'un de ses membres avant de prendre la parole.

« Je n'ai pas ici pour but de te parler de la création initiale mais plutôt de la manière dont cette planète a été peuplée, guidée, aidée, mais aussi, convoitée. »

Je me cale bien au fond de mon fauteuil comme pour mieux accueillir ce qui va être dit.

« Il y a de cela tellement longtemps de votre temps qu'aucune mémoire n'en a gardé la conscience, l'âme de la Terre a voulu expérimenter l'Amour inconditionnel. Celui-là même dont les humains parlent sans trop savoir ce qu'il contient mais avec un tel désir de l'atteindre ! Son corps fait de bleu et de vert, de mers et de végétation faisait la joie de toutes les planètes alentour, mais attirait la convoitise de certaines. L'être de la Terre sommeillait encore, et sur nos planètes, d'autres enjeux se déroulaient parmi les habitants. Certains, dont nous fûmes jusqu'à un certain point, étaient tellement pris dans un tourbillon de technologie et de pouvoir, que rien ne pouvait les arrêter. Les cœurs se desséchaient et le corps de certaines planètes s'effritait. Certaines explosèrent, d'autres devinrent si désertiques que la vie ne pouvait s'y poursuivre. Les habitants n'arrivaient plus à y survivre et cherchaient désespérément une solution. Le désarroi régnait sur une partie du cosmos.

La Terre sut alors que son plus grand rôle allait pouvoir se jouer. Les habitants des planètes qui avaient explosé dévitalisés et qui naviguaient sans trouver de repos, se tournèrent alors vers elle. Leur technologie leur permettait d'atteindre cette planète sans trop de difficultés.

Un pacte allait lier pour longtemps, ces êtres renégats et avides de pouvoir à la planète bleue.

Les planètes unies qui avaient aidé l'âme de la Terre, ne pouvaient la laisser se peupler uniquement de cette façon. Les Conseillers des plus hauts niveaux de ces planètes confédérées se réunirent alors, et il fut décidé que chacune d'elles enverrait des émissaires pour aider, conseiller et éviter qu'une catastrophe ne se produise là aussi.

La Terre allait ainsi devenir la *planète école* la plus particulière du cosmos ! La variété due aux origines diverses de sa population, les apports de ces nouveaux réfugiés, alliés à ceux qui arrivaient dans le but d'aider, firent de cette planète un modèle unique.

Sur les plans subtils, des scissions eurent lieu. Certains croyaient en l'avenir de ce mélange inattendu, d'autres eurent peur, d'autres encore pensèrent trouver là un réservoir dans lequel ils pourraient puiser et qu'ils pourraient utiliser à des fins personnelles.

Dès ce moment, les interventions furent diverses. Il y a 18 millions de vos années, les grands êtres de la planète Venus nouèrent un pacte d'Amour avec la Terre et ses habitants. Cette planète régie par l'Amour décida de prendre la Terre sous sa protection. Ne comprends pas cela comme une ingérence quelconque... Certains parmi les Vénusiens s'installèrent sur la planète Terre, sachant que leur rayonnement permettrait à lui seul d'engendrer des pensées et des actions d'Amour.

Dans ce même temps, des êtres de la planète Orion qui souhaitaient contrecarrer ce projet, décidèrent d'intervenir de façon beaucoup plus autoritaire. Ils agirent de telle façon, que l'évolution des habitants de la Terre sembla à jamais réduite dans son avance. Les brins d'ADN furent limités dans leur développement à l'aide d'opérations à un niveau subtil. C'était cependant sans compter avec la force d'Amour.

Des habitants de planètes telles Jupiter et Mars, décidèrent à ce moment précis d'aider au développement de ces êtres devenus terriens. Sur Jupiter, l'avance scientifique était grande. Ce fut leur participation et leur cadeau aux habitants de la terre... D'autres êtres apportèrent la connaissance de toutes les stratégies et les êtres de la terre employèrent toutes ces connaissances, selon leur niveau de compréhension et d'évolution. Ce fut bien sûr au service d'eux-mêmes et de leur besoin de conquêtes qu'ils se servirent avant tout de ce qui leur était offert. Cela, les êtres des planètes confédérées le savaient et en avaient accepté le risque, de même qu'un parent accepte les trébuchements de son enfant comme apprentissage de la marche vers l'autonomie et la liberté.

Dans cette période qui dura des millénaires, des expériences furent tentées pour créer d'autres formes de vie adaptées à la Terre avec de multiples possibilités. Le peuple de Vénus participait aussi avec Amour à ces expériences génétiques. Certaines créations durèrent pendant de longues périodes d'humanité : les géants et les cyclopes de vos légendes en font partie. D'autres créations furent moins heureuses : les yétis sont des créatures de ce type. Des femmes aux multiples seins eurent également une existence sur terre sans réelle longévité. Peu à peu des mélanges se firent entre tous ceux qui habitaient cette planète. Ainsi, des races aux connaissances diverses, aux capacités variées, aux aspects physiques différents, virent le jour. La Vie de la Terre commençait à intéresser plus qu'elle n'intriguait.

Avant même que le peuple de Vénus ne prenne la terre sous son protectorat, les *terriens* avaient encore en eux les connaissances et les vibrations de leurs planètes d'origine. C'est ainsi que dans vos légendes vous trouvez des personnages aux capacités surhumaines et aux possibilités de durée de vie très grandes. Les géants, les cyclopes de vos contes d'enfants ont réellement existé et votre imagination n'a fait que recontacter une mémoire enfouie au plus profond de vous. Rien jamais ne s'efface ; nous pouvons tout au plus oublier en surface ce qui nous inquiète ou nous fait souffrir. Seul le cœur peut transformer, transmuter un événement du passé pour l'éclairer d'une lumière nouvelle et ensoleiller à nouveau l'ombre déposée en nous.

À cette époque lointaine, la pesanteur de la planète terre habita peu à peu ces êtres et les capacités s'oublièrent ainsi que la longévité. Il fallait maintenant que chacun retrouve sa route, non par l'effet du pouvoir ou par celui du savoir, mais par la voie de l'Amour.

— Mais alors qu'en est-il du libre arbitre de chacun si tous les éléments décident de la route que nous devons prendre ? N'est-ce pas là une façon d'obliger une planète et ses habitants à se diriger vers un point donné par d'autres, me risquai-je alors à demander en pensant à ce qui pourrait, à mon retour, m'être objecté ?

— Rien ne peut se faire sans l'accord profond des âmes, quel que soit leur niveau de compréhension et quelle que soit leur origine. Le moindre inspir, le moindre expir est voulu par une partie de nous et de tout ce qui vit. Rien jamais n'est dû à ce que vous nommez *hasard*. Vous le nommez encore ainsi parce que vous confondez souvent l'inconnu et le non-voulu. Votre travail actuel est de rendre de plus en plus conscientes ces parties de vous, de la plus infime à la plus matérielle, pour que votre Vie tout entière soit comme une fenêtre ouverte sur l'infini, en toute volonté.

Je le répète une fois de plus, aucune action ne peut se faire sans l'accord d'une partie de vous. »

L' être s'est tu et un silence léger, fait de douceur et de tendresse s'établit entre nous tous. La salle et ses occupants s'éclairent d'une lumière nouvelle que je ne pouvais soupçonner jusqu'alors, tant le brouhaha des conversations occupait l'espace du lieu. Je goûte ces instants de paix lorsque le plus masculin de mes deux guides prend à son tour la parole :

« Puisque nous restons encore un peu de temps en cet endroit, j'aimerais parler d'un élément qui nous concerne tous... »

L'attention de l'auditoire semble captée par ces derniers mots et les regards se tournent à nouveau avec intérêt dans notre direction.

Un personnage à la peau olivâtre et à la coiffure étrange, réunie en tubes sur le haut de son crâne se fraye un chemin à travers ses compagnons pour s'avancer jusqu'à nous. Il ne dit mot mais nous regarde avec une intensité grave et profonde. C'est alors que mon guide reprend en me regardant :

« Il y a quelques-unes de vos années terrestres, des êtres ont décidé d'une action plus précise. La planète Terre est en effet un chakra important de notre cosmos... De la même façon que sur un corps humain, il existe des chakras qui sont des portes énergétiques vers d'autres dimensions intérieures et extérieures à l'homme, la Terre également possède des chakras qui correspondent à de grands lieux géographiques qui s'endorment, s'éveillent et se déplacent avec les époques de votre humanité. Sur ce même principe, la terre, à l'instar d'autres planètes, est un chakra du cosmos.

Tu sais, ainsi que tous mes compagnons combien un seul chakra perturbé peut amoindrir le bon fonctionnement d'un organisme… Il en est ainsi de la planète Terre pour l'ensemble du cosmos et c'est pour cela que nous avons proposé des éléments de guérison. Les planètes de l'Alliance ont alors décidé différents plans d'action. »

Dans l'assemblée réunie, un murmure d'approbation se fait entendre, puis la voix reprend :

« Certains d'entre nous ont commencé de poser en divers endroits de la Terre ce que l'on pourrait appeler des *boîtes noires*. Il s'agit de données d'autres mondes que le vôtre, pouvant permettre une compréhension et une avance sans commune mesure avec ce que vous connaissez aujourd'hui. Leur action est aussi active sur un plan éner-gétique, car elles propagent des ondes bénéfiques avec régularité sur Terre. Leur découverte permettra une avance sans précédent de votre monde, mais elle dépend avant tout du développement de votre conscience.

Dans un autre temps, certains parmi nous ont été chargés de la mise en place de pyramides de quartz dans les veines de la Terre. Leur but a été, pendant un temps de régénérer les grands Nadis du corps terrestre. Cette action a évité de nombreuses secousses sur le plan tellurique mais aussi social et humain par répercussion. Lorsque je dis *a été*, c'est parce qu'aujourd'hui, certaines de ces pyramides ont été découvertes, utilisées à d'autres fins et abîmées. Elles n'ont plus, de toute façon, la même utilité, car la conscience humaine s'est ouverte depuis, au domaine des vibrations et des énergies, et en connaît de façon plus indi-viduelle le fonctionnement.

Plus récemment, depuis le début de vos années cinquante, notre action s'est encore intensifiée. La mise en place d'un gouvernement mondial attiré par la soif de puissance et le manque d'unité de votre monde, comportait et comporte toujours un risque majeur : celui d'une destruction massive d'une partie des habitants de la planète, en vue d'une mainmise sur le reste, à des fins tout à fait personnelles et utilitaires. Mais ceci n'est que la pointe d'un iceberg dont vous auriez peine à imaginer les moyens et les buts. Il est dans les mondes que vous dites subtils, d'étranges luttes de pouvoir, et vous devez savoir que tout ce qui vient des étoiles n'est pas toujours lumineux, quel que soit le niveau de connaissance et de technologie qui vous ferait penser le contraire. Nous avons alors mis en place d'autres moyens d'éveil. »

Toujours calée au fond de mon fauteuil, je reste suspendue aux paroles de mon guide, et en attendant qu'il poursuive, je pense à tout ce qui me tracasse sur terre dans la vie courante alors qu'à quelques *ondes* de nous se joue le jeu de la survie d'une planète entière. L'évier bouché, le jardin qui semble abandonné lorsque je pars en tournée, la vie quotidienne et sa multitude de petites choses à régler, et ce temps après lequel je cours si souvent, sont-ils comme je le pense parfois, si dérisoires en regard de tout ceci ?

Une nouvelle fois, ma question non formulée est entendue, comprise... et la réponse suit de la part de l'être à la peau olivâtre :

« Rien n'est jamais inutile ! Toute attention que tu portes sur un instant de ta vie le rend plus vivant encore et c'est cela la vie et le miracle de la vie… Et pourtant, dans ce même instant, rien n'a l'importance dramatique que bien souvent sur terre vous accordez aux événements, et c'est aussi cela la difficulté de vos vies. Vous devez apprendre à choisir ce à quoi vous accordez de l'attention, mais ne faites pas de cette attention une tension. Transformez plutôt les instants de votre vie en une suite de moments de lumière ! Accordez toute l'attention et l'amour dont vous êtes capables à chaque geste, à chaque parole, à chaque regard des différents épisodes de votre vie, et vous verrez combien cette attention rendra plus fluide et plus légère cette vie. Vous êtes là sans être là, vous vivez machinalement et vous vous épuisez à ce jeu sur tous les plans de votre être. Vos pharmacies personnelles sont pleines de médicaments auxquels vous aimeriez laisser la tâche de vous rendre plus calme… Mais rien, ni personne ne pourra éteindre ce désir qui vous brûle, cette soif, cette sensation de vide qui vous habite, excepté vous-mêmes.

Vous avez soif d'Amour et vous croyez compenser cela par *l'action* qui vous donne l'illusion d'être plus vivants. Vous voulez être utiles, vous voulez diriger votre vie non par Amour de la Vie mais par amour de la puissance. Je ne parle pas de cette puissance évidente de posséder le plus beau ou le meilleur, ou encore plus que le Tout. Non, il s'agit de quelque chose de beaucoup plus subtil que l'argent ou le pouvoir… Je parle ici de votre peur du vide, de votre peur du manque, de votre absence de Foi, que votre mental inférieur manipule avec tant de facilité ! Son rôle est de vous faire croire que vous êtes seuls, pauvres, inutiles et bien d'autres choses encore et il n'a pas beaucoup de peine pour y arriver ! Vous êtes mal avec vous-mêmes parce que vous avez fermé une partie de votre être à la confiance dans la Vie. Vous n'êtes presque jamais présents parce que vous fuyez l'inconnu et ses conséquences... Mais le manque de confiance ne peut exister sans le manque d'amour. Vous l'avez tous au fond de vous, cet Amour, mais n'oubliez pas que votre incarnation terrestre vous demande de le redécouvrir. Aimer, sourire, avoir confiance, au-delà de tous les événements et sans naïveté, cela s'apprend, et comme un enfant qui apprend à marcher, chaque instant est un merveilleux moment d'apprentissage.

Vous cherchez partout des Maîtres, vous courez toujours derrière des désirs, vous voulez connaître votre *rôle*, ce que vous devez faire de votre Vie et comment ? Toutes ces recherches, toutes ces questions font que bien souvent vous ne voyez pas que votre vie est le plus grand des maîtres, que chaque instant est exactement celui pour lequel vous êtes venus et que votre quête se trouve dans l'instant que vous vivez ! L'Absolu est une absurdité. Rien n'est jamais figé dans un univers quel qu'il soit et la quête d'absolu n'est jamais que celle de votre absolu du moment. Si votre route est jalonnée d'événements que vous refusez ou que vous vivez avec difficulté, faites une pause et regardez en vous, car quelque part en vous, il y a une dissonance : Votre cœur aimerait, mais votre raison, vos paroles ou vos actes, n'agissent pas en conséquence. Demandez-vous alors simplement : *qui dirige la vie en moi ?* et je ne doute pas, si votre quête est sincère que vous ne trouviez rapidement des éléments de réponse. »

Merci est le seul mot qui me vient lorsque le grand être s'arrête. Qu'il m'est difficile de transmettre à travers des écrits, la chaleur d'une voix, la force de certains mots, et l'Amour, tellement d'amour qui s'en dégage !... J'ai envie de rester longtemps, très longtemps à écouter, à recueillir, à ressentir cette musique qui touche toutes les cordes de mon âme.

C'est alors qu'au cœur de ma méditation, une main se pose au niveau de mon cœur.

En un instant, je suis absorbée dans une douceur indicible et sans aucun repère, je nage dans un univers sans limite d'un bleu sombre et velouté. Je tournoie sans réussir à me stabiliser, sans dominer le mouvement en spirale qui m'absorbe à grande vitesse. J'entends, comme un peu étouffée, la voix rassurante de mon guide des étoiles :

« Laisse faire, ne cherche pas à contrôler, laisse-toi habiter par les sensations diverses que tu rencontres et écoute !

Parmi les différents moyens que nous avons mis en œuvre pour contribuer à l'éveil et à la prise de conscience sur la planète Terre, il en est que tu connais personnellement pour y avoir participé d'une façon très précise, aussi te sera-t-il plus facile de les comprendre et d'en parler.

Depuis environ cinquante de vos années, nous avons intensifié notre action par une multiplication des contacts avec les habitants de la planète. Ces contacts n'ont pas toujours été simples. Il nous fallait trouver des récepteurs capables de transmettre nos messages sans déformation du mental, mais nous avions aussi la nécessité de trouver des personnes crédibles que l'on ne soupçonnerait pas d'avoir inventé les faits, dans le but de devenir riches ou célèbres. Les âmes de ces futurs contactés nous donnèrent leur accord, conscientes des risques encourus à travers ce *service* à la planète. C'est alors que nous sommes apparus en divers endroits, apportant des *preuves* d'une existence autre et des enseignements susceptibles d'engendrer une réflexion nouvelle. Certains de nos contactés s'ouvraient à d'autres dimensions après avoir vécu des accidents les laissant dans le coma ce qui nous permettait d'ouvrir d'autres portes en eux que celles déjà existantes. D'autres parmi eux, à l'âme pure et simple, étaient téléguidés vers nos vaisseaux. Certains purent prendre des photos de nos véhicules. Nous nous rendions visibles plus qu'à l'accoutumée, créant ainsi une possibilité nouvelle en vos cœurs. D'autres encore venaient durant leur sommeil, recueillir des informations qu'ils pourraient retranscrire et transformer, à travers des tableaux, des bandes dessinées, des romans de science-fiction ou des films. Cependant, les forces de séparation veillaient, et savaient qu'à travers le mental inférieur humain, elles pourraient injecter le doute et la peur.

Nos contactés furent rejetés, décriés, isolés, traités de fabulateurs. Leurs familles elles-mêmes les abandonnaient. Ils devinrent la proie de certains journalistes et ils s'enfermèrent pour certains dans un mutisme protecteur mais destructeur, car le poids du secret est toujours lourd à porter, et ne pouvoir le partager demande un psychisme solide. La plupart de ces êtres ne purent résister à la pression morale, physique et sociale. Les uns montèrent des mouvements qui ne concernaient plus qu'eux-mêmes et leur propre pouvoir, d'autres s'isolèrent, et quelques-uns, plus rares continuèrent à témoigner sans agressivité et avec constance leur vie durant. Certains manipulateurs créèrent des films d'envahisseurs à notre sujet. Dans ce même temps, d'autres contacts moins bénéfiques eurent lieu et discréditèrent notre action : des enlèvements, des mutilations d'animaux, par exemple... C'est alors que certains des nôtres proposèrent de venir d'une façon plus discrète et pourtant combien efficace! Ils acceptèrent de s'incarner à travers le corps d'un humain consentant à prêter son véhicule physique pour une période de vie déterminée.

Pour que cet échange puisse se faire, il est indispensable de trouver le corps et l'âme qui soient énergétiquement les plus proches de celui qui va les habiter, et cette recherche demande une grande perspicacité.

Certains des nôtres ont donc appris les langues, les coutumes, les habitudes de ceux dont ils allaient emprunter le véhicule. Cela ne s'avère pas d'une grande difficulté sur nos plans d'existence. Cependant, ils savaient aussi qu'ils hériteraient d'une partie de la mémoire du donneur, ainsi que des obstacles que celle-ci avait déjà engrangés. Ils acceptaient, et acceptent encore aujourd'hui, d'en nettoyer le passé et le passif accumulés. Cette tâche pourrait paraître lourde et donner l'effet d'une punition sur votre Terre, mais pas un de ceux qui ont accepté ce rôle ne l'a considéré de la sorte. Ils n'y ont vu qu'un acte d'Amour, un don joyeux pour que la Vie soit ce qu'elle n'aurait

114

jamais dû cesser d'être : un éclat de Joie à la surface de la Terre ! Au début de cette expérience il y eut peu d'êtres pour y participer car nous n'avions pas assez de données relatives à ce type d'échange. Aujourd'hui, le nombre, bien que toujours restreint, s'est cependant accru. L'avantage incontestable de cette expérience est l'impact, le rayonnement que peut émettre un être qui arrive directement d'un lieu de niveau vibratoire différent... et ceci, jusque dans les moindres parcelles de matière.

Comprends-moi bien, cela ne signifie rien de spectaculaire ! Il s'agit en fait d'un changement constant et d'un impact puissant, qui s'opèrent dès le passage ou l'installation de cet être dans un lieu, ou auprès des personnes qui s'y trouvent. Nos compagnons ne sont pas toujours conscients de l'impact et du travail réalisés. Ils l'ont souhaité ainsi, de manière à ne pas perdre le But dans des considérations personnelles qui pourraient ralentir leur marche. Leur action n'est pas simplement sur un plan physique, tu le sais, mais sur tous les plans d'existence. Leurs nuits sont des plus actives, et la connaissance qu'ils ont des voyages sur d'autres plans, leur permet une efficacité insoupçonnée de la plupart des terriens. Certains ont pris en plus de cela, un travail précis à accomplir. Mais dis bien aux habitants de la terre que ces êtres ne chemineront pas à leur place : simplement à leurs côtés et selon les nécessités d'un Grand Plan d'Existence.

Ceux des nôtres qui ont choisi cette façon d'aider n'ont pas la tâche facile. Leur mémoire est volontairement et en partie effacée, pour que leur vie terrestre soit plus simple et que la terrible nostalgie qui pourrait les habiter parfois, soit nettement amoindrie. Ils prennent aussi le *risque* en s'incarnant ainsi, non seulement de résoudre les nœuds anciens de leur *prêteur*, mais aussi de créer leurs propres nœuds et d'en oublier momentanément ce pourquoi ils sont précisément venus. Ils savent aussi qu'on ne peut leur garantir le succès de ce qu'ils ont à faire, pas plus que leur adaptation sur terre. Tout ce *Travail* est le leur, et personne ne peut les aider en ce sens. Ils ne connaîtront ni plus ni moins de facilités que d'autres. Seul leur Amour et donc leur Cœur allié à leurs capacités psychiques extériorisées ou non, seront leurs seuls atouts. »

Dans mon cocon de nuit bleutée, je me sens tellement vide et pleine, que rien ne peut exprimer cette sensation ou se mélangent la joie et la douleur...

La voix reprend plus fluide, plus aimante encore, telle un baume de douceur concentrée en un point de ce ciel bleu nuit :

« Regarde maintenant avec attention ! »

Chapitre 8

Un enfant très particulier

Je tourbillonne dans cet espace infini sans diriger ma volonté, lorsque tout à coup une trouée de lumière déchire l'espace... Je me sens attirée par elle sans savoir ce qu'elle me propose. Je vois une route qui serpente à travers des montagnes arides, je survole un impressionnant désert. J'imagine qu'il s'agit peut-être d'un pays comme l'Australie ou les USA tellement les dimensions sont vastes, les espaces grandioses. Autour de nous, les montagnes sont dentelées, de couleur ocre. En bas sur la route sinueuse, une longue voiture blanche ressemble à un petit point mouvant. Sur cet horizon apparemment sans fin, c'est la seule chose qui bouge.

Sans pouvoir contrôler quoi que ce soit, je sens que je me dirige vers elle, et quelle n'est pas ma surprise de me voir assise à l'arrière du véhicule ! Le conducteur est un homme de taille moyenne, au teint clair, aux cheveux courts et aux vêtements élégants et modernes. De sa compagne assise à ses côtés, se dégage exactement la même impression de sérénité, de force et de calme souriant.

Une sensation de beauté et d'harmonie émane de l'ensemble de cette scène mais je ne comprends pas encore ce que je fais là.

C'est alors qu'à ma grande surprise, les deux êtres se tournent vers moi en souriant. À travers leurs regards, soutenus par des yeux à l'éclat étrange, je réalise qu'ils savent déjà qui je suis et pourquoi je suis là.

« Nous aussi nous sommes là pour une action bien déterminée, mais contrairement à certains des nôtres qui restent des années sur Terre, notre impact est ponctuel, momentané. Lorsque nous sommes envoyés pour un contact et une action précise, il nous suffit de créer des corps et des vêtements provisoires pour la durée de notre *travail* comme disent les gens de la Terre ! »

Ce mot de *travail* semble les amuser beaucoup, et le fou rire qui les habite, même s'il est de courte durée, crée dans la voiture de belles couleurs arc-en-ciel, signe de la légèreté et de la bonté qu'exhalent ces deux êtres.

« Nous devons assister à un congrès concernant les recherches sur les manipulations génétiques et nous aimerions pouvoir y être entendus. Entre-temps nous avons quelques personnes comme nous à rencontrer, et de l'aide à apporter à un chercheur qui installe des appareils pour pouvoir entrer en contact avec les étoiles. Il lui manque une donnée importante, notamment une lemniscate qu'il

doit placer de façon très précise dans ses constructions...
Nous allons donc essayer de lui en donner l'idée.

— Je sais que chez toutes les personnes qui ne viennent pas de cette Terre, il y a un signe de reconnaissance dans l'aura. Ne craignez-vous pas d'être découverts et que votre action soit affaiblie ?

— L'Amour est la meilleure de nos protections. Nous n'avons rien à craindre car c'est la Vie qui nous propose telle ou telle action. Sur Terre, la notion d'Amour a été très galvaudée et, sous le mot Amour, se retrouvent : la possession, les émotions, les obligations, ou la naïveté sous prétexte de ne pas juger. Lorsque le peuple de la Terre cessera de se raconter des histoires et de disserter sur des notions illusoires, alors il saura que simplicité, joie et amour sont frères et sœurs. Le vocabulaire que vous employez est essentiel car chaque lettre est un être vivant qui transporte un concept créateur. Vos mots sont votre Vie, mais disserter des heures sur des concepts entourés de mots, voilà votre tour de Babel, votre difficulté de communication. Pour communiquer, il faut avant tout communier, et pour communier, il faut avant tout aimer et s'aimer aussi soi-même.

Regarde, nous arrivons à un endroit qui devrait t'intéresser. »

En effet dans ce désert, au détour d'une montagne apparaît un petit village de pierre et de terre, à quelques centaines de mètres de nous.

La voiture s'arrête avant le village, près d'un muret, un peu à l'écart de la route. Le couple descend et m'invite à le suivre. C'est alors que j'aperçois un petit garçon de cinq ans, assis sur le muret et lançant de petits cailloux à quelques mètres devant lui. Le petit bonhomme en salopette bleue nous regarde arriver de loin. J'ai la sensation qu'il nous attend, mais je ne sais pas s'il me voit ou non. À ce moment précis, il saute du muret pour se diriger vers nous trois et nous accueille d'un magnifique sourire. Ses perceptions sont assez fines pour sentir et voir ma présence et je regarde avec tendresse cette petite tête brune qui commence sa vie ici.

Au centre de ma tête, mais aussi de mon cœur, sa petite voix d'enfant résonne avec une grande clarté :

« Je ne suis pas ici sur Terre depuis de nombreuses années, comme vous pouvez le constater mais je sais quelle est ma route. La famille dans laquelle je suis venu me trouve un peu lent et rêveur, et je sais qu'ils craignent que je ne sois en retard par rapport aux autres enfants de mon âge. Cependant, mon âme a besoin de temps… Je dois prendre ce temps pour communier avec le monde végétal et animal ainsi qu'avec les Grands Êtres qui président à leur croissance. Cela fait partie de ce pourquoi je suis là.

Je passe beaucoup de mes journées à parler à ces êtres invisibles aux yeux physiques et ils m'apprennent à comprendre le monde autrement. J'ai vu que plus tard je participerai à l'avance de ce monde par la connaissance de sa physique occulte. Et puis je voudrais aussi vous dire que sur la planète qui est la mienne, l'enfance est presque inexistante. Cette période est considérée tellement peu utile qu'elle dure très peu de temps en regard de ce qui se passe ici... Alors, j'attends que vienne le moment où je pourrai agir avec efficacité et en attendant, j'écoute, je regarde et j'apprends tout ce qui me permettra d'aider cette planète sur laquelle je me suis incarné avec joie.» L'enfant n'a pas un seul instant ouvert la bouche et seul son sourire illumine son petit visage aux traits arrondis. À mon tour, d'âme à âme, j'ai envie de lui poser une question: «Tu dis que ta famille semble ennuyée de ton attitude; n'aurait-il pas été plus simple de t'incarner chez des personnes ayant déjà la connaissance de ces possibles incarnations d'enfants venus d'ailleurs?

— Oh non, répond le petit être sans l'ombre d'une hésitation, cela rendrait au contraire tout bien plus compliqué! Les parents de ce type ont vite fait de transformer leurs enfants en *vedettes*, même dans leurs cœurs! Il est alors difficile de suivre sa propre voie lorsque l'on est sollicité, lorsque l'on sent une attente, lorsque les parents eux-mêmes ont leur propre démarche qui n'est pas forcément identique au chemin que nous devons prendre.

— Mais n'est-il pas envisageable de trouver des adultes préparés à cela et conscients de leur rôle de simple éducateur affectueux?

— Oui, bien sûr! Rien n'est immuable... Bien des adultes conscients servent de parents à des êtres de la Terre qui ont aussi beaucoup à faire et qui ont besoin de l'aide efficace de leur entourage. Certains des enfants qui s'incarnent à l'heure actuelle, et cela s'est accentué depuis une quinzaine d'années terrestres, ont fait entre deux incarnations de longs *stages* sur d'autres planètes et ont reçu des enseignements très précis à ce sujet. La plupart d'entre eux arrivent sur Terre avec des modifications notoires dans leurs corps subtils. Ces modifications touchent à l'ADN et aux cellules. Elles permettent à cette nouvelle race de terriens d'accélérer leurs capacités internes et par là même, d'avoir une autre vision du futur de votre humanité. Ces enfants de plus en plus nombreux ont besoin d'une grande fermeté, de l'assurance de l'Amour des leurs, de bases solides sur lesquelles ils auront à s'appuyer plus tard, car ils sont là pour reconstruire et leur tâche n'est pas facile. Certains parmi eux peuvent sembler avoir des caractères durs, ils ont surtout besoin de ne pas marcher dans des sables mouvants. La société actuelle de la Terre donne beaucoup de bases techniques, mais tellement peu en ce qui concerne la Vie !

Un adulte ici n'a jamais appris à aimer, à sourire à attendre. Il n'apprend ni à élever ses émotions au niveau du cœur pour aller au-delà, ni à résoudre ses *problèmes existentiels*, comme l'on dit. La solidarité, l'entraide, ne font pas partie des enseignements de la Terre. Elles sont remplacées par la combativité, la rapidité, la compétitivité, l'assouvissement des désirs. Sont-ce là les bases solides d'un monde en mutation ? Quant à moi, je préfère le cœur aimant d'une mère que tout le savoir ou la *soi-disant bonne éducation* d'une société révolue. Je sais que ma vie sera brève, quarante des années d'ici tout au plus. Je sais aussi que pour faire passer certains concepts, j'aurai à accepter le rejet des gens *compétents* de l'époque. Tout cela, je l'ai vu avant de m'incarner comme de grandes probabilités ;

mais je sais aussi que ma vie, quels que soient les événements, sera telle que je la ferai : triste ou joyeuse, ordinaire ou extraordinaire, elle suivra simplement l'itinéraire que la force de mon âme saura imprimer en elle.

— Tu parles de ta mère, mais ton père est-il présent ? »

L'enfant sourit encore et ce sourire illumine tous les alentours comme de petites perles de rosée posées çà et là sur les grains de sable du désert.

« Je ne connais pas mon père. Ma mère m'en parle parfois et je vois alors que son cœur et ses mots ne disent pas pareil. Dans son cœur il y a de la tristesse et aussi de la colère. Dans ses mots, elle me dit qu'il m'aime mais qu'il a dû partir loin pour des raisons que je ne peux comprendre.

Dans ces moments-là, je suis un peu triste pour ma mère et pour cet homme que je ne connais pas, mais dans mon cœur, c'est sans importance. l'Essentiel pour moi comme pour n'importe quel être vivant sur n'importe quel monde c'est de savoir qu'il y aura toujours assez d'Amour dans l'univers pour nous y abreuver.

L'Être humain ne donne que ce qu'il peut donner : pourquoi attendre tout de lui et se sentir perpétuellement en manque d'Amour quand il n'a pas su ni pu nous satisfaire ? L'Amour n'est pas dans le cœur de l'un ou de l'autre, il est partout, dans la moindre parcelle de vie, dans la moindre cellule de notre corps. Si nous, nous apportons de l'Amour, nous saurons l'offrir autour de nous. Si nous savons que personne d'autre que nous-même n'a pour fonction de combler nos manques, nos attentes ou nos incapacités, nous ne pourrons en vouloir à quiconque… »

Le petit garçon s'est tourné vers le couple et semble communier ou communiquer avec eux. Je ne sais pas ce qu'ils se disent et ne cherche aucunement à le savoir. Un éclat de rire illumine l'endroit et les trois êtres qui semblent bien se connaître se saluent à la manière de certains saluts et bénédictions en Inde : front contre front ils restent ainsi quelques instants... C'est maintenant à mon tour de saluer l'enfant : nos deux fronts posés l'un contre l'autre, je me sens envahie par une douce chaleur, une intense lumière. Ce contact plus étroit me lave d'un tas de petits nœuds qui me paraissent tout à coup tellement lointains, tellement dérisoires que la joie et le rire m'envahissent aussi et me font l'effet d'une grande lessive interne !

Je regagne le véhicule à la suite de mes deux compagnons du moment.

La voiture roule à bonne allure, tandis que le couple chantonne comme n'importe quel couple de la Terre, heureux de vivre et conscient du moment. Je me laisse bercer par cette expérience nouvelle, ne cherchant même pas à savoir ce qui m'attend ensuite. Perdue dans mes réflexions, je me dis que la science-fiction d'aujourd'hui a souvent des idées très proches d'une réalité que nous découvrons à peine.

« La plupart de ceux qui sont connus dans le monde des films ou des ouvrages de science-fiction ont eu des rapports avec les êtres des étoiles. Les nuits de la planète Terre sont riches en contacts et en voyages lointains, et même si les souvenirs au retour sont parfois un peu confus, la trame essentielle reste et le message passe.

À propos, nous savons que tu t'es, depuis un certain temps, intéressée aux *crop circles* et tu as d'ailleurs de très belles photos à ce sujet. Alors, je pense que ce que nous allons te dire va tout à fait t'intéresser.»

La jeune femme se tourne vers moi et me regarde avec enjouement. Elle continue :

« Ces superbes dessins géométriques apparaissent plus régulièrement depuis plusieurs années, dans les champs de blé notamment, d'où leur nom. Certains d'entre les hommes pensent à un canular monté par quelques-uns, d'autres pensent à des messages extraterrestres. Alors, vois-tu, il y a ces deux possibilités et je sais que cela t'étonne car tu connais nos facilités à créer de tels dessins et tu ne mets pas en doute l'origine de ces cercles. Écoute bien ! Certains parmi les habitants des planètes de l'alliance, ou planètes confédérées, ont décidé de proposer aux êtres de la Terre une marque tangible sur laquelle ils puissent œuvrer. Après de longues réunions et de nombreuses concertations, il fut décidé que des marques seraient laissées visibles aux yeux de tous et difficiles à recréer artificiellement. Ces dessins devaient, en outre, avoir des particularités exceptionnelles dont la création d'ondes de forme sur des kilomètres à la ronde et ils devaient contenir des données accessibles aux plus grands scientifiques de votre époque. Ces données une fois découvertes permettraient de concevoir une existence hors de la Terre avec beaucoup plus de facilité. Elles touchent notamment le domaine de la physique nucléaire et concernent l'espace-temps et la composition subtile du corps humain. Ces découvertes vont révolutionner bien de vos schémas médicaux et aussi les données de votre physique actuelle. Les *crop-circles* ont donc ainsi fait leur apparition. Mais les forces de séparation veillaient, et à l'aide des plus doués de leurs inventeurs, elles purent reproduire des images analogues qui créent une confusion plus grande encore parmi les supporters et les détracteurs de ces figures géométriques. Il manque cependant aux dessins fabriqués par ces forces contraires des éléments qu'ils ne peuvent encore connaître. L'un des éléments manquant entraîne la destruction de toute forme de vie là ou il apparaît. Les *crop-circles* fabriqués par les plus doués de vos scientifiques, ne seront jamais que des images vides d'énergie et de sens ; mais que cela ne vous inquiète pas, il y en a peu de la sorte... Juste de quoi créer le doute et la division. Soyez simplement assurés que jamais rien n'est inutile, ces éléments qui vous divisent, vous poussent les uns contre les autres, vous paraîtront tellement anodins lorsque vous ne leur accorderez plus d'importance ! Ils n'ont que le mérite de vous faire réfléchir à ce que vous voulez vraiment : voulez-vous avoir raison pour le simple fait d'avoir raison ou permettez-vous à la vie de vous montrer plusieurs facettes qui contiennent toutes une parcelle de vérité ? Quel est votre but : vous battre constamment contre *l'autre* et donc contre vous-même ou accueillir les imaginaires oppositions pour, derrière elles, rejoindre l'UN ?

Cela ne signifie nullement être en accord avec tout et avec tout le monde. Ce n'est pas d'une démarche intellectuelle dont je te parle ici mais d'un bouleversement plus profond, jusqu'au cœur de chacune de vos cellules. Les mots ne traduiront jamais ce qui peut survenir alors... L'ennemi lui-même n'est plus ennemi, l'obstacle n'en est plus un et la séparation devient elle-même une partie de l'Unité. Il suffirait pour cela d'un peu plus de confiance dans vos vies, d'un peu plus d'Amour dans vos regards pour que cette transformation s'opère. Sans cela, votre monde traversera douloureusement ce passage, mais sois sûre que rien ni personne ne l'en empêchera. L'Autre ne sera jamais un ennemi, même si vos peurs, dictées par le mental, vous le font croire jusque dans le plus petit de vos actes. Inconsciemment, vous luttez toujours contre un ennemi ou un obstacle potentiel, et lorsque vous semblez lâcher, c'est une défaite ou une lassitude qui en est la cause. Votre vie est une suite de luttes contre vous-même en priorité, et vos cellules ne peuvent *s'autonomiser* dans cette course incessante. Chez vous, ceux qui ont cessé la *lutte* l'ont bien souvent fait par peur du monde et par manque de confiance et donc d'amour envers eux-mêmes.

Il n'est plus temps de disserter sur la Vie, Vivez-la dans toute sa plénitude : que chaque acte soit un jaillissement de Joie ! La chrysalide que vous avez tissée autour de vous en guise de protection n'a plus lieu d'être. Comprends-moi bien, je ne veux pas dire par là que vous devez devenir des naïfs prêts à vous exposer à tout et à tous, mais sachez simplement que vos protections sont illusoires et mentales. Vous pourrez vous tisser tous les cocons protecteurs possibles, élever toutes les barrières intérieures et extérieures, rien de tout cela ne vous protégera. Vous devez maintenant passer une initiation majeure, et pour cela vous tenir debout et faire face à vos propres obstacles.

Vous ne réussissez pas dans tel ou tel acte, vous détestez telle ou telle personne, mais pourquoi ? Quelle est la peur, la colère contre vous-mêmes qui se cache derrière chaque acte qui n'est pas Amour ?

Toutes ces forces de séparation, en vous et hors de vous travaillent pour la lumière. C'est par elles que se posent les interrogations, grâce à elles que naît le discernement après la confusion. Il est sain cependant de ne pas les ignorer et de savoir que, si la plupart de vos gouvernements mettent en place des unités semblant favorables aux phénomènes extraterrestres, il n'en est rien. Ces unités sont créées pour engendrer le doute, en laissant filtrer des informations réelles, puis en les contredisant, et en créant de fausses nouvelles pour mieux discréditer les vraies.

— Mais quel est l'intérêt de tout cela ?

— La confusion, la peur, la méfiance créent une onde de faiblesse à la surface de votre globe et le rendent ainsi plus fragile et manipulable. Ce plan vient de plus loin que vous ne le pensez et se sert des ego des hommes de la Terre pour agir ainsi. Mais la peur ne doit pas naître de cela. C'est votre Joie véritable, votre unité intérieure qui peuvent affaiblir les plans les mieux conçus pour vous emprisonner. Vous confectionnez avec soin vos propres prisons et ensuite vous voulez vous en échapper... Ne trouves-tu pas cela incohérent ? »

Aucune intonation acerbe n'est contenue dans cette interrogation et je souris, car je vois bien combien nous devons paraître enfantins vus d'un autre niveau. Notre jardin d'enfants est pourtant simplement terrifiant.

Toute à mes réflexions, je ne vois pas combien le temps a passé. Le jour décline doucement et une vapeur monte du sol encore chaud. Mes compagnons arrêtent la voiture comme pour me saluer :

« Je crois que tu es attendue, dit l'homme d'un ton amical, le voyage n'est pas encore terminé. »

En effet, depuis quelques instants, je sens le tiraillement caractéristique au-dessus de mon ombilic, cet appel vers d'autres lieux, peut-être d'autres temps.

J'ai la sensation de monter sans contrôle vers un *je ne sais où* encore inconnu, lorsque tout à coup je sens en moi monter le doute, la peur. La peur de ne pas savoir raconter, la peur de *je-ne-sais-quoi*. À ce stade j'ai la désagréable impression de nager dans un liquide visqueux qui m'emprisonne de plus en plus. Je refuse en bloc toutes ces idées qui parasitent mon avance mais plus je les refuse et plus elles semblent me coller à la peau. J'entends à peine la petite voix au fond de moi qui tente de me rejoindre : *laisse passer, ces émotions ne t'appartiennent pas. Ne t'y accroche pas !*

Plus j'essaie de m'en détacher et plus je m'englue dans cette matière molle. Cette fois, c'est un peu comme si la confiance elle-même me quittait. Une angoisse me tenaille, une peur vitale… Et si j'allais rester là, pour toujours, flottant dans un univers poisseux de peur et de tristesse…

Je suis maintenant prisonnière d'une gigantesque toile d'araignée, je ne peux plus bouger, je suis dans un monde obscur et sans bruit dans lequel je flotte, paralysée, entortillée comme une momie. Seules mes pensées continuent de tournoyer, je les sens, je les vois : je ne les aime pas ; elles ne sont pas toutes à moi mais me collent à la peau, je les refuse... Que vais-je faire ? J'essaie de faire taire les pensées qui s'agitent, pour trouver un peu de paix dans ce cocon terrible qui m'oppresse. Plus je fais des efforts, plus l'étau se resserre. C'est alors que de la même façon qu'un éclair peut traverser l'horizon, une lumière semble poindre au plus profond de moi, à peine sensible dans ma paralysie générale. Je m'y accroche désespérément, mais là aussi elle m'abandonne, du moins est-ce la sensation que j'en ai...

Je me sens seule et livrée à moi-même, lorsque tout à coup je réalise que ces pensées correspondent à un vieux schéma qui m'habite depuis longtemps : *l'abandon.*

Toujours immobilisée, tournoyant dans cet espace hostile, j'accepte cette fois, réellement et profondément, de traverser l'expérience dans laquelle je me suis empêtrée et ce, jusqu'au bout, quoi qu'il arrive. Je veux traverser mes peurs et savoir ce qu'il y a derrière. Je ne leur en veux plus, je ne repousse plus ces pensées : les miennes et les autres. J'accepte tout comme faisant partie de la vie. J'ai envie de regarder comme un spectateur devant un écran de cinéma, je ne rejette plus, je n'agis même plus. Que ce qui doit être, soit ! Je sais dans le tréfonds de mon âme que lorsque je pense cela, ce n'est pas pour *faire semblant.*

Alors, peu à peu je respire mieux, l'étau se desserre, la lumière pénètre mon cocon sombre et dans mon cœur, une toute petite voix prononce ces mots étranges : *traverse le cocon, tu es dans le corps astral de la Terre ; rejoins-nous, nous t'attendons.* La petite voix se brouille et je n'entends plus qu'un grésillement, un crépitement, comme ceux des haut-parleurs détraqués par quelque parasitage. Et si c'était un test, pour voir si je veux encore et toujours ? Je ne veux plus rien, sinon ce que la vie me propose. Je suis pour une fois, sans aucun désir. J'attends, et au fond de mon attente je suis saisie, remplie, absorbée, par une vague immense de compassion. J'ai la sensation d'être au cœur de chacune de ces émotions, je ne les accepte plus seulement, je les accueille, je les aime, non avec pitié mais avec compassion. Je les vois sans jugement, simplement comme elles se présentent à moi, mais aussi avec tous leurs devenirs possibles. Je ne cherche pas leur transformation, leur changement, elles sont ce qu'elles sont à cet instant précis et c'est bien ainsi. Autour de moi, l'univers gluant a disparu, les pensées qui tournoient sont légères et lumineuses comme les plus beaux papillons de notre Terre. J'ai traversé et je suis libre, libre d'une partie de moi qui ne me fait plus peur...

Dans le tunnel de lumière qui m'absorbe, j'ai la sensation d'un retour à la maison. Un moment privilégié où l'on est profondément heureux parce que l'on se sait attendu, parce que quelque part une petite voix nous dit que l'on va encore pouvoir laisser quelques bagages trop encombrants dont nous n'avions pas idée.

Chapitre 9

Djarwa et Sumalta

Je suis là, assise dans un endroit magique comme nous en avons tous eu dans nos rêves d'enfants. Il ressemble à un jardin, à un magnifique verger en fleur et moi je suis là, assise sur un gazon très doux, très tendre. L'air est léger et un vent parfumé de fleurs odorantes me caresse comme pour m'inviter à regarder plus attentivement. Je suis assise non loin d'un arbre qui ressemble à un pommier et plus je le regarde, plus je vois sortir de son tronc, de ses feuilles, de magnifiques ondes colorées qui s'allongent en dansant vers le ciel, vers un ciel de couleur étrange dont je viens juste de percevoir les nuances jaune orangé. Chaque arbre de ce *verger* semble vivre d'une vie intense et personnelle, les ondes se rejoignent, paraissant ainsi communier à une même source. Le spectacle pour moi est féerique. Il m'est arrivé de voir cela lors de courts instants de repos dans la

Nature, mais ici, l'intensité est tellement supérieure et l'harmonie si évidente qu'elle ne cesse de me ravir. J'ai une impression de déjà-vu, un peu comme si j'étais déjà venue dans ce lieu.

« Pas exactement dans ce lieu, mais dans d'autres endroits qui y ressemblent. »

La voix enjouée qui résonne derrière moi me fait sursauter, je n'avais pourtant vu personne aux alentours jusqu'à présent.

Un couple est là, à quelques mètres, souriant et accueillant. Il semble frôler le sol plus que marcher dessus.

« Nous attendions que tu sois un peu remise de ton *voyage* que nous avons su être éprouvant à certains égards. Nous allons être tes guides et tes hôtes durant ton séjour ici. Sois donc la bienvenue sur la planète Venus ! »

Je sais en mon for intérieur qu'il en est ainsi, et je regarde avec gratitude mes deux nouveaux compagnons. Assez grands et minces, presque androgynes, ils portent tous deux de fins cheveux blonds mi-longs qui entourent l'ovale délicat de leur visage. Leurs vêtements semblent presque suivre les contours de leurs corps ; la matière en est fluide, les couleurs changeantes et la forme est du style tunique à col droit et pantalon. Une ceinture souligne leur taille. En fait, à l'exception des vêtements, ces deux êtres sont très semblables physiquement à ceux qui m'accompagnaient au début de ce voyage. S'il n'y avait l'intonation de leur voix et les émanations colorées qui s'échappent d'eux, j'aurais tout à fait pu les confondre. En effet, comme de la végétation environnante, de belles ondes colorées

134

s'échappent de mes deux hôtes. À la manière des auras qui entourent chaque être humain, elles virevoltent et dansent autour d'eux mais à la différence que celles-ci sont beaucoup plus chatoyantes et lumineuses que celles que j'ai l'habitude de rencontrer.

« Ici, les couleurs qui émanent de nous permettent une reconnaissance directe, sans paroles. C'est un peu comme votre carte de visite, de présentation, avec l'avantage de ne rien pouvoir falsifier. »

Cette fois, c'est la jeune femme qui s'est adressée à moi. Je dis *jeune* mais je pourrais aussi dire *sans âge* car aucune marque de temps ne transparaît sur leur physique, seuls leur regard et leur voix me donnent l'impression d'une sagesse tellement ancienne qu'ils pourraient bien avoir des siècles.

« Comme nous allons passer un certain temps ensemble j'aimerais beaucoup pouvoir vous appeler par des prénoms qui me faciliteraient la communication avec vous, hasardai-je !

— Nous attendions ta question. Ici, comme je te le disais tout à l'heure, nos auras servent de présentation. Le nom est pour nous un son, une note propre à chacun et que nous employons très rarement. Nommer une personne, c'est lui donner des attributs, des propriétés vibratoires spécifiques, mais ce peut être aussi une prison qui qualifie et étouffe dans un rôle particulier. Sur la planète Terre, vous commencez seulement à redécouvrir la force du son, du mot et par là même du Verbe Créateur, sans en connaître encore les subtilités. Pour plus de facilité nous allons cependant te proposer deux noms : tu pourras m'appeler Djarwa et ma compagne Sumalta, mais sache qu'il ne s'agit pas de nos véritables noms. Si nous voulions être plus précis à ce sujet, il nous faudrait des développements longs et plus techniques aussi. Nous dirons simplement qu'un nom doit être employé avec amour et connaissance, pour ne pas nuire à celui qui le porte. Maintenant, nous t'invitons à nous suivre car il y a beaucoup à *faire* et à *voir*. »

Fargora, fargora... s'écrient, en agitant les mains, deux jeunes enfants sur le pas-de-porte d'une maison aux formes arrondies. Je comprends comme si je connaissais ce langage que ces mots signifient *bienvenue*.

Je regarde avec attention l'habitation dont je vais franchir le seuil. Elle me paraît de dimension moyenne, je dirais entre cent cinquante et deux cents mètres carrés environ mais sa caractéristique est que du dehors elle ne présente pas d'angles droits. Elle n'est pas ronde non plus et ne ressemble pas aux vaisseaux que j'ai pu voir jusqu'à présent. Non, c'est une maison aux formes arrondies, entourée de végétation et de laquelle émane une grande paix. Un *havre de paix* me paraît déjà la qualifier extérieurement telle que je la ressens.

« Nos maisons ont pour nous une fonction bien précise. C'est Djarwa, qui avec gentillesse répond à mon interrogation non encore formulée. Ce sont des lieux de ressourcement, de détente, de paix et nous sommes très attentifs aux énergies qui en émanent et à celles que nous y mettons. Sur cette planète nous n'avons aucune construction qui soit haute ou grande. Il n'y a donc aucun building comme sur Terre, ni agglomérations géantes. Nous nous regroupons selon nos affinités en ce que vous pourriez appeler *villages* et chaque habitation tient compte des besoins de l'être ou des êtres qui vont y habiter, mais ce ne sont pas des attaches qui nous lient et nous emprisonnent. Ces maisons sont faites pour nous et non l'inverse. »

Je souris, car je sais à quoi fait allusion Djarwa. Il pense, et je le vois à travers ce qui émane de lui, à toutes ces maisons pour lesquelles beaucoup s'endettent, travaillent, dépriment ; toutes ces habitations luxueuses qui occupent tant de temps, de vies, de budget, au détriment de la Vie elle-même. Tant de maisons, trop grandes dont les habitants profitent bien peu tant ils peinent pour se les offrir !

« Ici, continue-t-il, nous créons d'abord par la pensée ce qui nous est nécessaire, en sachant que le Beau n'est jamais négligé au profit d'autres éléments car il fait partie de notre nature. Mais beau, pour nous, peut signifier simple, sans aucune contradiction. Si tu constates que les formes de cette habitation sont arrondies, c'est parce que les angles durs n'ont plus d'intérêts chez nous sur cette planète. Ils arrêtent certains courants, leur font prendre des directions avec plus de contrainte que nécessaire. Nous essayons de faire en sorte que la Vie puisse couler de façon fluide à l'intérieur de nos maisons et en cela nous avons été aidés par les grands êtres qui président aux structures et aux formes de toute Vie. Sur Terre, vous nommez ceux qui organisent la Vie de la Nature des Dévas mais, en dehors de quelques personnes qui ont un contact privilégié avec eux, vous ne tenez pas encore compte de leurs conseils. Ce sera pourtant une étape indispensable si vous ne voulez pas épuiser pour longtemps les ressources de votre Planète. Il vous faudra très vite cesser de vouloir diriger avec vos connaissances scientifiques encore insuffisantes, la vie de la Nature. Mettez-vous à l'écoute, et les Grands êtres qui en assurent la croissance vous donneront, ils le font déjà, toutes les connaissances nécessaires pour que l'harmonie s'installe*. »

Mon hôte s'est arrêté et à sa suite je pénètre à l'intérieur de la *maison*. Les jeunes enfants nous ont précédés depuis longtemps. Une belle pièce centrale nous accueille. Elle est d'une couleur que je n'arrive pas à définir. Je pourrais dire changeante et irisée mais je ne saurais dire si cette impression est due aux matériaux employés ou à l'éclairage dont je ne perçois pas la source. Une table, des chaises, des fauteuils dans lesquels mes hôtes m'invitent à prendre place, nous attendent. Ils semblent aussitôt se modeler aux formes de mon corps et me procurent une sensation de détente profonde, un peu comme s'ils touchaient en moi des points précis, et pourtant je n'ai pas emmené mon corps physique ici.

Je ne vois pas de cuisine semblable à celles que je connais sur Terre ni d'ailleurs de meubles contenant une quelconque vaisselle. C'est alors, que d'un geste de la main, mon hôtesse, comme en réponse à ma question fait glisser un pan du mur qui permet de découvrir des coupes et coupelles diverses, semblables à un cristal très pur et très

---

* N.D.A.: Actuellement, des architectes font de plus en plus attention aux matériaux, aux formes de nos habitations.

simple. Elle sort de ce *placard* invisible des verres aussitôt remplis d'un liquide sucré et odorant.

« Il s'agit d'un jus de fruit que vous ne connaissez pas. Il est très détendant et en même temps nourrissant, dit-elle en me tendant un verre. »

Elle prend place sur un fauteuil près du mien tandis que la paroi reprend son aspect lisse et sans faille, sans la moindre possibilité d'y deviner une ouverture.

Les enfants arrivent en courant vers nous et derrière eux, quelle n'est pas ma surprise de revoir le petit être poilu aux yeux brillants et malicieux, qui me regardait lors de ma première visite du vaisseau. Il est là, campé sur ses deux pattes solides, me regardant avec curiosité. Mi-ourson, mi-panda, mi-singe, mi-homme, j'ai du mal à le définir.

« Tu sais, c'est un compagnon pour nous, comme vous avez des chiens et des chats sur terre. Il est très intelligent et nous amuse et nous aide beaucoup. »

C'est un des enfants qui s'adresse à moi de la sorte et je finis par me demander comment ils connaissent autant de choses au sujet de la planète Terre.

« Viens voir, tu vas comprendre… »

Je suis la mère et les deux enfants dans une pièce aux murs lisses. Seuls, un bureau et un clavier sont au centre ainsi que quatre chaises. L'enfant plus âgé se place devant le clavier et me demande :

« Veux-tu avoir des nouvelles de la Terre ? »

Ce à quoi j'acquiesce volontiers. Il appuie alors sur l'un des boutons et un pan du mur s'éclaire pour laisser place à une femme semblable à mon hôtesse qui parle quelques instants avant de s'effacer pour laisser apparaître des images de la Terre. je reconnais des lieux géographiques, des personnages connus, et je comprends ce qui se dit comme si un transcripteur instantané me traduisait les mots entendus. Il s'agit bien d'événements sur Terre, mais pas de ce que nous avons l'habitude de voir au journal télévisé. Ce qui est commenté là semble davantage concerner des découvertes et des événements qui pourraient avoir des conséquences bénéfiques ou non, sur l'ensemble du cosmos. Par exemple la découverte, tenue secrète, de statues et de galeries sous le Sphinx et sous la Grande Pyramide, ou encore les contacts non officiels de certains grands gouvernants avec des êtres d'autres planètes et les désinformations concernant les contacts extraterrestres, puis les foyers infectieux provoqués par les guerres voulues et les épidémies crées pour engendrer la peur dans la race humaine. Mais aussi, tout un lot de bonnes nouvelles. Cependant, quel que soit le type d'information donnée, aucun caractère dramatique ou traumatisant ne transparaît dans les commentaires.

« Tu es ici dans la pièce de la culture, des liaisons et des communications. Nous pouvons de cette façon recevoir des *nouvelles de tout ce qui se passe dans le cosmos*, mais nous avons aussi d'autres moyens de communiquer, de nous entendre, de nous voir, de nous rencontrer. Regarde, les enfants vont bientôt avoir leur leçon de télépathie par leur professeur particulier. »

Nous prenons toutes deux un siège, tandis que les deux enfants se préparent. Vêtus de tuniques orangées et de pantalons plus collants d'une même couleur ils s'installent de part et d'autre du clavier et la tête dans les mains semblent entrer dans un type de méditation ou de concentration tout à fait particulières. Ils sont debout et dans la plus parfaite immobilité lorsque tout à coup le plus jeune des deux étend le bras pour appuyer sur un bouton. Apparemment, il a dû recevoir le signal pour cela. À l'instant même, apparaît au centre de la pièce un personnage en trois dimensions, lumineux et transparent un peu comme un hologramme, en mieux. Il parle aux enfants et tient à la main des fiches avec des symboles divers. Les enfants tour à tour s'exercent à capter le symbole puis après quelque temps, le professeur leur propose d'envoyer des images par la pensée et là encore les enfants paraissent très centrés, sans aucune crispation et sans aucun geste, ni mouvement d'impatience ou de colère quel que soit le résultat. Ces jeunes enfants sont plus stables et attentifs que la plupart des adultes de la terre. Le temps passe, des exercices différents sont proposés, sans pause et sans lassitude de la part des enfants, puis le professeur nous salue tous et disparaît comme il était venu. Mon hôtesse me demande de la suivre car les enfants doivent maintenant rester seuls.

« Leur apprentissage vous paraîtrait rude sur terre, car maintenant ils doivent chacun, dans le plus parfait silence, se mettre en contact avec leur être profond – celui qui va les guider toute leur vie durant – puis viendra le moment où ils auront à partir pour l'une de nos écoles de sagesse. Là, des êtres très anciens dans leur expérience de vie, leur enseignent à diriger leur pensée, sans désir personnel, sans volonté de nuire, mais dans un but qui puisse servir toutes les humanités. Avant cela, ils apprennent à se respecter suffisamment eux-mêmes pour savoir dire *Oui* et *Non* sans arrière-pensée, sans culpabilité. Plus tard, ils apprendront le maniement des ondes de formes et des pensées.

— Le programme me paraît tout à fait extraordinaire mais y a-t-il une place pour l'art, les sentiments, le corps physique, par exemple ?

— Bien sûr ! Les enfants apprennent aussi tout ce qui touche aux sons et aux couleurs, et à l'impact de ces deux énergies qui, combinées aux formes, vont créer des objets, des architectures, des tableaux, des espaces verts, des symphonies aux propriétés diverses. Nous savons tous que le beau élève l'âme et les corps subtils vers des dimensions qui font naître en nous et autour de nous l'harmonie, et la paix. Plus précisément, le beau peut aussi, s'il est uni à d'autres formes, apporter la paix ou la dynamisation ou encore la guérison.

Pour ce qui est du corps, de nombreux exercices basés sur la respiration sont pratiqués quotidiennement mais nous savons aussi que c'est la qualité de nos pensées qui permet de modeler notre corps physique. Tous ceux qui pratiquent ce que vous pourriez appeler *sport* apprennent avant tout à se centrer, à méditer, à respirer, à visualiser. Pendant tout leur temps d'apprentissage,

Les élèves ont des cours de *sagesse* durant lesquels ils apprennent à gérer leurs conflits intérieurs avant que cela ne crée des conflits à l'extérieur d'eux-mêmes. Ils comprennent qu'aucun problème n'est généré par autrui, mais par eux en priorité et que l'autre n'est qu'un miroir par lequel ils peuvent *travailler* sur eux.

Les élèves sont en tout petits groupes de dix et leur enseignant est toujours un maître du domaine qu'il leur fait explorer. C'est-à-dire qu'il ne s'agit nullement de diplômes ou de titres, ni d'années passées sur telle ou telle matière. C'est la capacité et l'expérience de vie dans l'un des domaines, qui fait que telle personne est reconnue comme un maître, à qui il faut en plus des capacités de communication pour devenir un enseignant. Ainsi, ne peut enseigner la maîtrise des émotions que celui qui est passé maître en cet art, et seul un collège de Sages peut le déterminer.

Par la suite, les enfants sont dirigés selon leurs capacités et leur souhait vers des enseignements plus spécifiques. Les deux, à ce stade, ne sont jamais en contradiction. Quant aux plus doués, ils sont pris en charge par des êtres de grande sagesse afin de faire plus tard partie du collège ou de l'un de nos grands comités interplanétaires.

— Dans tout ceci y a-t-il des moments réservés à la distraction, à la détente ? »

Mon hôtesse rit de bon cœur à cette question qui, j'en suis sûre, me sera posée plus tard par les parents soucieux de l'éducation de leurs enfants.

« Mais il n'y a aucune crispation dans tout cela. L'enfance ici dure très peu de temps mais nous en reparlerons plus tard… Quant aux possibles moments de détente, c'est typiquement terrestre. Ici nous aimons tout ce que nous faisons et cela fait partie de notre vie au même titre que manger ou regarder un spectacle. La même joie, même si elle est de qualité différente, nous habite et rien ne nous pèse. »

Un instant plus tard, je vois les enfants se diriger en courant vers la porte d'entrée sans qu'aucun signe extérieur n'ait laissé présager une quelconque venue.

« Djarwa vient de revenir avec le véhicule qui va emmener les enfants à l'école de Sagesse. Veux-tu nous accompagner jusque-là, me murmure Sumalta ? »

Chapitre 10

À l'école des Sages

Je suis ravie de poursuivre mon exploration en compagnie de mes hôtes et nous voilà tous les cinq en partance vers un lieu que j'ai hâte de découvrir. Le véhicule qui nous y amène ne touche pas le sol, et par bien des côtés je lui trouve beaucoup de similitudes avec celui que j'ai eu à emprunter quelque temps auparavant en Atlantide. Aucun bruit, aucune vibration; le petit engin semble glisser sur l'air de la planète et la sensation en est très agréable. Nos fauteuils semblent se mouler à nos morphologies et cela me donne une impression de stabilité, de sécurité. Il y a huit sièges dans ce véhicule et il est sans capote, le temps doux le permettant aisément.

Sur notre *route*, nous croisons d'autres engins analogues mais aux dimensions, couleurs, formes différentes, avec autant de variété que les voitures sur Terre.

Tout à mes réflexions, je ne m'aperçois pas que nous venons de nous arrêter à l'entrée d'un bâtiment aux formes majestueuses. Le matériau dont il est fait semble un mélange de cristal aux nuances irisées. Là encore, il m'est difficile de donner une couleur à ce que je vois. Un arc-en-ciel de couleurs serait plus juste pour décrire ce qui émane de cette construction aux formes limpides surmontée de plusieurs coupoles.

En regardant plus attentivement, j'aperçois un peu en arrière, d'autres bâtiments de même style, mais plus petits. L'un d'entre eux est d'une construction plus sobre : de simples colonnes sur lesquelles repose un toit translucide et arrondi, sans porte et sans mur.

Un majestueux escalier ivoire permet d'accéder au bâtiment central, tandis que les autres sont reliés au premier et entre eux par des allées dallées de pierres aux multiples couleurs. J'ai la sensation curieuse de marcher sur un tapis vivant de pierres précieuses.

L'environnement lui-même est étonnant de beauté. Nous sommes en haut d'une colline et la vue sur la nature s'étend sur des kilomètres. Seules, quelques habitations aux toits ronds sont visibles çà et là, dans ce paysage très pastoral.

« Descendez, nous sommes arrivés au collège de sagesse des enfants. Il y en a aussi pour adultes, mais ils ne sont guère très différents d'aspect extérieur. »

C'est Djarwa qui, en arrêtant le véhicule, nous fait signe de descendre et de le suivre. La petite famille franchit le portail d'entrée accueillie par... un robot ou quelque chose qui y ressemble. J'ai du mal à parler de robot car celui qui est à la porte du collège ne ressemble en rien à ce que l'on peut voir ou imaginer sur terre. Il a le physique d'un humain mais ses gestes sont plus mécaniques et son langage plus stéréotypé, son regard est un peu froid, vide tel une mécanique bien huilée sous une enveloppe d'humain parfaite.

« Nous avons peu de robots sur notre planète contrairement à d'autres planètes du système car nous avons résolu une bonne partie des problèmes techniques qui pourraient être une contrainte pour certains d'entre nous. Nous n'éprouvons donc pas cette nécessité. Ils existent cependant pour ce qui demande des gestes automatiques ou plus mécaniques, mais nous avons aussi beaucoup d'appareils, disons *d'ordinateurs* pour cela. »

Les enfants cette fois nous précèdent, ils semblent savoir où se diriger et chacun prend une direction vers un petit bâtiment, tandis que je remarque qu'ils ne portent rien avec eux ni cartable, ni crayon, ni quoi que ce soit qui fasse penser qu'ils vont apprendre.

« L'apprentissage est différent de celui qui se pratique sur Terre. Ici, il n'est pas besoin de copier pour retenir. Nous nous incarnons tous volontairement et cela nous donne une faculté particulière… Celle d'être toujours présent de tout notre être à ce que nous faisons et à l'instant même. Cette présence nous permet de retenir tout ce qui nous paraît nécessaire. Notre mémoire n'est plus une mémoire affective qui trie ce qui est douloureux ou désagréable pour l'effacer momentanément. C'est une mémoire d'un autre type qui garde tout ce qui va être utile à sa croissance et n'efface rien de douloureux avant que ceci n'ait été compris ou résolu.

Sur Terre, vous occultez ou vous réveillez de vieilles mémoires souvent inconsciemment, selon les événements et les rencontres de votre vie. Cela ne peut arriver ici, car nous ne gardons rien qui ne soit pas en accord avec notre présent. Bien que ce ne soit pas réellement exact, nous pourrions dire que nous n'avons ni passé, ni futur. Nous sommes dans un Présent qui constitue la Vie. »

Sumalta a parlé avec beaucoup de douceur mais en même temps je perçois en elle de grandes connaissances. Elle sourit :

« J'enseigne depuis une centaine de vos années dans un autre collège, pour ceux qui deviendront ce que vous appelez des *thérapeutes*, et ma spécialité est tout ce qui concerne le domaine des formes-pensées et des émotions. Nous le visiterons un peu plus tard car je sais que sur Terre c'est aussi un domaine qui vous touche de très près, toi et ton compagnon. »

Tout à notre conversation, nous arrivons à une salle très lumineuse ou un adulte blond fait face à quelques enfants assis en tailleur à même le sol. Pas un mot, pas un son ne sort de la pièce ; pourtant les enfants me paraissent très jeunes, trois ans environ.

L'enseignant nous a vus et nous fait signe de nous placer au fond de la salle. À lui, je donnerais une trentaine d'années, mais après ce que vient de me dire Sumalta, je n'oserais émettre une idée à ce sujet.

Dans l'assemblée des petits, j'ai tout à coup une étrange sensation. L'un d'eux semble différent : peut-être est-ce dû à ce qui émane de son aura, peut-être quelque chose dans son physique ? Je cherche, sans arriver à comprendre d'où me vient ce sentiment.

La voix de mon hôtesse pénètre alors en moi avec précision.

« Si nous sommes ici, c'est aussi parce dans cette salle, une petite fille est en stage. Elle n'est pas d'ici et elle apprend depuis un certain temps déjà. Elle vient de la planète Terre et apprend ici ce qui lui sera nécessaire lors de sa proche incarnation. Mais regarde attentivement. »

L'enseignant, avec les bras, dessine dans l'espace des formes, des figures géométriques et les petites têtes qui regardent semblent absorbées dans une contemplation que je ne comprends pas immédiatement. À mon tour je me concentre et je regarde avec attention laissant mon regard détendu mais aussi précis que celui d'un laser. C'est alors que je vois le faisceau de lumière qui part du chakra frontal de l'instructeur, le rayon lumineux qui sort de son cœur et à la jonction de ces deux rayons, peu à peu, prend forme une fleur dont il caresse les contours à l'aide de ses mains, comme pour en consolidifier la présence.

Au bout d'un temps qui me paraît assez long, disons trois quarts d'heure de notre temps, tous les enfants ont eux aussi matérialisé, dans ce que j'appellerai l'*Aether**, une fleur de leur choix, qui semble parfois sortir tout droit de

---

* Forme d'Éther des plans subtils.

leur imagination. Puis l'enseignant, d'un geste très symbolique de la main, fait disparaître peu à peu toutes ces créations, après avoir commenté le travail de chacun des élèves. Je remarque que dans ce type d'enseignement, la critique n'a pas cours. Le Maître commente le travail accompli sans aucune notion de jugement. Il n'est pas question de bon ou de mauvais élève ni de bon ou de mauvais travail. Il serait plus juste de parler en terme de capacité, de beauté, d'harmonie. Telle fleur n'a pas de contours suffisamment nets : elle ne pourra donc rester en place plus de quelques minutes ; telle autre ne rayonne pas avec suffisamment de force pour apaiser une âme triste ; les couleurs de celle-là sont trop peu pensées pour résister au temps. Dans tout cela, rien de ce qui est dit ne donne aux enfants un sentiment d'échec ou d'incapacité. D'ailleurs ils écoutent attentivement les instructions, prêts à recommencer l'expérience dès qu'il le faudra.

Sumalta m'entraîne vers une autre pièce du collège, tandis que le professeur continue son cours.

« Regarde, ici les enfants sont tous devant des écrans incrustés dans les murs. Tu pourrais comparer cela à des ordinateurs, mais tu vas vite te rendre compte qu'il s'agit d'un matériau beaucoup plus précis et sophistiqué que celui que vous connaissez actuellement. »

Là encore, une enseignante, vêtue d'une tunique et pantalon semblables à ceux que j'ai vus auparavant, nous fait signe d'entrer.

Au milieu de la salle, une boule lumineuse et cristalline semble se mouvoir avec lenteur en suspension entre le plafond et le sol. Elle est cependant plus proche du sol.

« Ne la touchez pas et ne vous en approchez pas au-delà de la ligne marquée autour d'elle. Cette sphère est un générateur extrêmement puissant, mais inadapté à votre corps actuel, même subtil. »

L'enseignante s'est adressée à moi par télépathie. Elle me sourit, tandis qu'avec Sumalta nous contournons la sphère pour nous approcher d'un écran mural. J'en dénombre dix dans cette pièce. Dix écrans qui s'éclairent à des rythmes différents et sont inclus dans les murs de la salle. Face à chaque plaque, se tient debout un enfant qui paraît avoir cinq ou six ans. Très attentifs, les petits élèves ne se laissent aucunement distraire par nos présences. Je suis étonnée de l'attention qu'ils portent à chaque geste, ce qui a pour effet de donner une grande précision et force à ce qu'ils font. Nous restons quelque temps derrière un enfant dont il m'est difficile de savoir s'il s'agit d'un garçon ou d'une fille tant la ressemblance entre les deux sexes est grande. Chacun tient un boîtier dans une main et appuie régulièrement sur divers boutons. L'écran devant lequel nous nous trouvons est encore d'un blanc laiteux lorsque, peu à peu, il s'éclaire en laissant apparaître ce que je considère comme des formes abstraites qui dansent dans tous les sens. Puis, insensiblement, ces formes s'estompent et de petits points s'éteignent et s'éclairent, comme de petites cellules pleines de vie.

La voix de l'enseignante me parvient alors avec une pointe d'humour :

« Je comprends combien cela peut te paraître abstrait mais ici les enfants apprennent à étudier l'atmosphère qui nous entoure, les divers courants d'énergie qui nous traversent et l'état des particules qui composent tout cela. Ils apprennent comment une pensée peut influer sur une cellule, la parasiter ou la phagocyter ou au contraire la dynamiser. Regarde! Il s'agit ici d'images créées pour ce type d'exercice. »

Cette fois, les ondes mouvantes et les petites particules ont disparu. Sur l'écran opaque se dessinent alors des têtes, des bras, des êtres difformes; bref le spectacle est hideux, repoussant et je me demande ce que l'enfant va faire de tout cet univers digne d'un cauchemar terrien. L'écran devient plus sombre, des ondes rouges et noires occupent l'espace, à tel point que nous avons la sensation d'être au cœur de la scène. L'enfant reste debout sans aucun mouvement, attentif à l'extrême. Puis tout à coup, le petit être accroche le boîtier qu'il tient à sa ceinture, joint les deux mains sur sa poitrine puis les dirige vers l'écran, comme en un salut indien. Je vois sortir de lui des couleurs d'une grande beauté. Un bleu électrique l'entoure comme une coquille de lumière, puis de ses deux mains réunies jaillit une onde violette aux éclairs d'un blanc lumière indescriptible. Avec une grande précision il dirige l'onde telle un laser vers une des formes glauques de l'écran. À cet instant précis, la forme se tord, se crispe et se transforme en une sorte de lumière ailée qui monte et disparaît. L'enfant continue sans lassitude avec chacune des formes présentes à l'écran, puis tout redevient lumineux et l'écran s'éteint. L'enseignante se dirige alors vers l'enfant et lui dit quelques mots qui semblent le réjouir. Il doit avoir terminé

152

son cours, car il se retourne, nous fait un signe amical et sort en courant, plein de vie et de joie.

« Je vous dois quelques explications, dit le professeur en se tournant vers moi. Sumalta connaît bien l'enfant auprès duquel vous étiez. Il est l'un des plus aptes, actuellement, dans ce collège, à se servir de la force de sa pensée pour éclairer les zones d'ombres. Il s'agissait ici de simples exercices et nous avons pris les exemples que vous avez vus à l'écran dans une partie basse de l'astral de la Terre. Pour des travaux plus pratiques, les enfants les plus doués pour diriger leurs pensées et la lumière, sont emmenés avec certains des nôtres dans des lieux de nettoyage.

— J'ai vu aussi des symboles sur les murs près des écrans, les utilisez-vous également pour ces *nettoyages*, demandai-je avec curiosité ?

— Nous utilisons des symboles – ou plutôt des formes – des nombres et des lettres dans certaines de nos activités. Sur la planète, nous connaissons tous la force que peut dégager une forme, un nombre ou une lettre. Ce sont des êtres vivants qui ont une action sur tout ce qui les touche et nous les respectons comme tel. Parfois nous sommes amenés à demander leur collaboration à une tâche précise. Ils le font volontiers, car ils savent que jamais, nous ne nous servons d'eux sans leur accord.

Sur Terre, vous voulez souvent asservir ce qui peut avoir une utilité pour vous. C'est aussi pour cela que les personnes qui commencent à découvrir la puissance de tous ces grands êtres, prennent des risques énormes en les manipulant.

Si vous saviez combien une collaboration serait une force pour la terre et pour ses habitants ! La magie que vous pratiquez est encore une étape que vous considérerez très primaire lorsque vous l'aurez dépassée.

Une onde, une forme, une énergie, un nombre, une lettre, tout cela peut vous emmener vers des dimensions dont vous ne soupçonnez pas encore la grandeur. Ce que vous appelez magie n'est rien d'autre qu'une connaissance détenue par quelques-uns avec bien souvent des notions de pouvoir mais cette connaissance n'est encore que très embryonnaire. Certains adultes apprennent ici aussi comment se sont formées les langues de vos peuples. Il faudrait cependant beaucoup de temps pour en donner les principales clés, mais le moment n'est pas encore venu. Le Watan qui est une langue atlante est à l'origine de bien de vos langues. L'hébreu est une langue qui ouvre des portes vers d'autres univers, notamment celui des mondes dits *angéliques* et des *hiérarchies*. La langue de l'île de Pâques a des propriétés plus psychiques. Les unes vont ouvrir les portes du mental supérieur, les autres vont mettre les êtres en contact avec d'autres mondes, d'autres encore vont appeler des entités et des êtres célestes. Un mot n'est jamais employé sans conséquence. Bien qu'aujourd'hui vous ayez dévitalisé la plupart de vos langues, il reste une note déterminante pour chacune d'elle. Nous apprenons aux enfants les langues, par l'écoute de leur musique, et cela va très vite et sans aucune difficulté mais pour ce qui est des langues terrestres, la sonorité est parfois difficile à retrouver tant il y a eu de changements.

— Pourrais-tu nous parler de vos ordinateurs, car sur Terre je les trouve utiles, mais aussi tellement nocifs ! »

Sachant que sur les langues il ne serait pas possible d'obtenir plus d'informations, je m'aventurai dans un autre domaine.

« Avec la collaboration du monde minéral, nos écrans sont des cristaux contenant des mémoires vivantes. Ce n'est pas la parole qui les active mais la pensée. Nous avons cependant pour les *débutants*, des boîtiers qui évitent des erreurs d'aiguillage notamment quand leurs pensées ne sont pas assez précises. Vous seriez pourtant étonnés par la simplicité de ces *ordinateurs*. Ils sont semblables à une matrice vivante avec laquelle nous travaillons tel ou tel sujet, en rapport avec ce que nous recherchons. Pour leur fabrication, nous avons dû faire appel au monde des formes qui avec celui des cristaux, nous a considérablement aidés. Pour cela, il nous a fallu comprendre comment se déplaçait la Vie autour de nous, comment les mémoires et les ondes pouvaient être matérialisées dans les cristaux de nos écrans. Nous avons ainsi compris comment un courant se perd si le matériau utilisé n'est pas assez noble.

La Vie à quel que niveau qu'elle soit, sous l'apparence de lettre, d'onde, de lumière, de forme, perd une partie de son efficacité lorsque vous l'emprisonnez en pensant la canaliser. Vos tuyaux, vos matériaux, sont encore trop lourds, vos formes sont encore trop *primaires* pour que la Force de vie y soit totalement active.

Nous savons que certains sur Terre ont trouvé le moyen d'emprisonner des corps subtils sur des machines, pensant ainsi en faire des robots sophistiqués. Je conçois que cela puisse donner à ces humains un sentiment de puissance et de réussite, mais tellement en dessous de ce qui pourrait arriver, si l'onde de vie remplaçait l'onde de mort et la prison qui la retient.

Ici, l'on apprend à se servir de son cœur pour concrétiser l'amour jusque dans la matière, me souffle Sumalta. Viens… »

Elle se lève avec discrétion et salue en partant la jeune femme qui nous sourit.

« Allons rejoindre Djarwa. »

À l'entrée, le petit véhicule en suspension à quelques centimètres du sol, nous attend. Djarwa est aux commandes, souriant.

« Les enfants rentreront avec d'autres quand ils auront fini. Nous avons un peu de temps pour aborder une question qui doit certainement t'intéresser. »

Notre véhicule nous emmène jusqu'à une cascade entourée de verdure. Le lieu est reposant et nous trouvons facilement un endroit pour nous asseoir.

« Je sais que tu aurais aimé te détendre sur le bord d'une plage, mais nos mers n'ont rien à voir avec celles incomparables, que l'on peut admirer sur la planète bleue, comme nous l'appelons ici. Il y a bien longtemps, dans des temps si lointains que vous n'en avez plus les traces, une collision fut sur le point de se produire entre la Terre et Vénus. Les deux planètes furent si proches que le magnétisme environnant de l'une se mit à agir sur l'autre. L'attraction fut si forte qu'une partie de nos mers se déversèrent sur Terre. Il fallut que toute l'âme de la planète Vénus, ainsi que celle de ses habitants, avec l'aide des planètes du système, se mettent en communion pour éviter cette collision. Elle fut évitée mais la terre a gardé de ce moment un souvenir essentiel : le pétrole. Ce sont en effet nos mers – ou plutôt une partie d'entre elles – qui se sont ainsi déversées sur terre et y sont restées depuis.

La Planète Terre, d'autres te l'ont déjà dit lors de ce périple, est l'une des plus belles qui soient de par l'univers. Ses paysages, sa végétation, sa variété humaine et animale est telle, qu'elle pourrait figurer parmi les plus belles fleurs de notre galaxie. Ici, chaque planète possède des caractéristiques qui lui sont propres, que ce soit au niveau physique ou psychique. La diversité, telle que la terre peut la vivre, ne nous est pas connue. C'est aussi pour cela qu'il n'y a qu'une seule race par planète à l'exception de la Terre. C'est à la fois sa force et sa faiblesse. Sa force, lorsque chaque habitant aura compris combien les différences de chacun réunies sont des richesses. Sa faiblesse, car l'humanité terrestre s'englue dans tous les pièges tendus par le mental inférieur : les désirs, les doutes, les peurs.

La peur, quelle que soit sa nature, engendre la défensive et des réflexes de protection : le bouclier élevé alors à cet effet appelle l'agresseur, et la violence qui en découle engendre le malheur. Tant que la peur motivera les actes des habitants de la Terre, rien ne pourra se résoudre.

Nous savons que la terre et ses habitants sont à une croisée de chemins. Ils peuvent choisir de passer complètement à un autre niveau de compréhension et de vie ou s'autodétruire et devenir, par orgueil, les esclaves de certains êtres qui n'attendent que cela. De toute façon, le passage se fera, mais à quel prix et à quelles conditions ?

Nous pouvons aider et conseiller, mais jamais nous ne pouvons obliger un être quel qu'il soit, à suivre un itinéraire qu'il n'a pas choisi, même si nous supposons les conséquences de ses choix. Il en est ainsi des habitants de la Terre. Nous faisons actuellement tout ce qui est en notre pouvoir pour aider au passage, mais le reste ne nous appartient pas. »

Je me sens perplexe, car ces mots, ces avertissements, je les ai entendus et lus tellement de fois sans pour cela trouver de solution. Parmi les êtres qui sont conscients de tout cela, certains prient, d'autres méditent, les uns agissent ou écrivent.

« Et puis, il y a ceux qui vivent ce en quoi ils croient. »

La voix de Sumalta me parvient par télépathie et continue :

« Tout est juste lorsqu'il est acte d'amour. Il n'y a pas de plus ou de moins. Chez celui qui aime, que son acte soit le plus simple de la vie quotidienne, ou le plus spectaculaire, n'a pas d'importance en soi. C'est l'énergie qui est émise à travers l'acte qui va se répandre à l'infini et agir. Je vais être plus précise : la ménagère qui fera un plat avec amour, aura autant d'impact à travers ce geste que celui qui viendra de sauver la vie d'une personne par devoir. Je ne raisonne pas en plus ou moins mais simplement en termes d'énergie. Soyez attentifs à vos gestes et à vos paroles, sachez les motivations qui se cachent derrière vos actes, et bien souvent vous y percevrez le désir de bien faire, dans le seul but d'être aimé, accepté et reconnu.

C'est ce qui appauvrit votre monde actuellement, car tout ce que vous faites de beau aurait tellement plus de force, si ce n'était encombré d'émotions parasites comme la culpabilité, la peur d'être rejeté, le manque d'amour et de confiance.

— Alors que faire, puisque chacun de nos actes contient une arrière-pensée ? »

Je sais au fond de moi qu'il n'y a pas de recette miracle mais il doit sûrement exister des clés...

« L'une d'elles est d'être entièrement à ce que l'on fait au moment où l'on accomplit un acte, où l'on prononce une parole, où l'on émet une pensée. Bien souvent, sur votre monde, nous avons remarqué que vous n'êtes qu'à moitié présents. Une partie de vous pense tandis qu'une autre partie parle ou agit, alors qu'une autre encore est ailleurs. Vous ressemblez alors à un puzzle éparpillé et cela fragilise tout ce que vous êtes. La Force réside dans le présent, dans votre présence au moment quelle qu'en soit l'intensité. Lorsque vous rêvez, soyez le rêve, lorsque vous agissez, soyez l'acte, lorsque vous soignez, soyez le soin. Cessez de n'offrir au monde qu'une partie de vous-même, car c'est vous que vous mutilez. Seuls les actes plus mécaniques peuvent vous permettre sans dommage d'aller *ailleurs*.

— Mais lorsque nous sommes préoccupés par un souci quelconque, il est très difficile d'être présent à ce que l'on fait.

— C'est aussi l'une de vos faiblesses. Vous pensez résoudre une difficulté en y pensant sans cesse. Ici, lorsque nous sommes préoccupés par un *problème* comme vous les appelez, nous méditons sur cela puis nous laissons la vie nous proposer des solutions surtout s'il s'agit d'une difficulté qui concerne en même temps d'autres personnes. Nous avons confiance dans notre intuition et nous ne percevons pas les erreurs que nous faisons comme des échecs, mais simplement comme des apprentissages de la Vie. Et puis, ajoute en riant Djarwa, rien pour nous n'est dramatique car nous savons que tout ce à quoi nous sommes confrontés est voulu par nous. Cela relativise beaucoup ce que vous appelez *problèmes* et il nous en reste à vrai dire très peu ! »

Sur ces mots, mon hôte retire ses vêtements pour plonger aussitôt dans l'eau de la cascade. J'admire son corps aux proportions harmonieuses et sur lequel aucun système pileux n'apparaît, en dehors de sa belle chevelure.

Sa compagne le rejoint aussitôt et pour préserver un peu de leur intimité, je m'allonge sur l'herbe tendre du lieu. J'ai une sensation particulière de lavage, de nettoyage profond dans ce contact avec la nature, et le bruit de l'eau qui coule renforce encore cette impression. Étendue de la sorte je prends conscience d'une musique qui jusqu'alors ne m'avait pas touchée. C'est une *symphonie* extrêmement puissante et douce à la fois.

J'écoute plus attentivement et je perçois réellement des notes qui sortent de je ne sais où.

« Là, c'est de là, me souffle une petite voix. »

Je me redresse et regarde aux alentours... rien ne bouge et il n'y a personne.

« C'est nous, murmure encore la petite voix.

— Mais qui vous, dis-je impatiente de découvrir d'où viennent ces sons si mélodieux ? »

Un petit éclat de rire me parvient :

« Tu ne regardes pas bien. Nous, ce sont les arbres, les fleurs, la cascade, le vent. Nous avons chacun notre musique et lorsque nous le sentons, nos notes diverses deviennent la symphonie que tu entends. »

Je souris à ces mots aux sonorités enfantines, tandis que mes hôtes reviennent vers moi et me font signe de regagner à leur suite notre véhicule.

« Nous sommes attendus chez l'un de nos sages pour que tu puisses lui poser certaines questions qui pourront t'être utiles. »

Chapitre 11

Le passage

Nous pénétrons dans une habitation qui dégage une sensation de paix et d'harmonie indicibles. Dans une salle de dimensions modestes un homme nous attend. Il paraît un peu plus âgé que mes compagnons, mais si peu, que je suis étonnée lorsqu'il m'accueille de la sorte :

« Sois la bienvenue ici. Je t'attendais, et j'ai des éléments à te donner qui pourront peut-être montrer aux hommes de la Terre un chemin qu'ils soupçonnent déjà au fond d'eux-mêmes. Je suis maintenant très vieux, plus de cinq cents de vos années terrestres et j'ai bien souvent eu des *missions* sur la planète Terre. »

L'homme s'arrête quelques instants, pendant lesquels il nous fait signe de nous asseoir autour d'une table ovale entourée de sept sièges confortables. Il est vêtu d'une longue robe blanche, serrée à la taille par un lien souple, dont je ne détermine pas la matière. Un petit boîtier y est accroché. À ses pieds, des *sandales* d'une matière souple font corps avec lui. J'avais déjà remarqué sans y prêter attention, qu'aucun des vêtements ne comportait de couture. Tous semblaient faits d'un seul tenant et je rapprochai cela des robes esséniennes que nous portions il y a deux mille ans. Je m'aperçois alors que le sol est comme un grand miroir aux multiples reflets.

« Chacune de ces *missions*, continue-t-il, a eu pour but d'entrer en contact avec certains des vôtres d'une façon très physique, et aussi de manifester notre présence aux êtres qui vivent à l'intérieur de votre terre. Là encore, il n'y a pas les bons et les méchants, mais des êtres qui évoluent à leur façon. Certains d'entre eux ont des connaissances plus avancées que celles qui ont cours à la surface de la terre. Ils connaissent les lois de la gravitation, de l'antimatière et ont aussi des vaisseaux que vous pourriez appeler *intra-terrestres*. Parmi eux, il est des êtres d'une grande sagesse, qui pendant longtemps ont cependant refusé de manifester leur présence à ceux de la surface. Ils ne souhaitaient pas entrer en communication avec les humains qu'ils considéraient comme *trop orgueilleux*. Il y a de cela nombre de vos années, un pacte s'est enfin établi, et la compassion de certains d'entre eux fit qu'ils acceptèrent d'entrer dans la grande opération d'aide que nous avions alors envisagée pour la Terre. Leur action est encore souterraine, ajouta-t-il avec un sourire, mais elle n'en est pas moins efficace, et ils éveillent sur terre tout ce qui est connaissance occulte, de façon à rendre lumineuses les grandes lois cachées, jusqu'à présent réservées aux seuls initiés. »

Le grand être blond s'est tu quelques instants et disparaît, pour réapparaître aussitôt avec un plateau de fruits et des verres remplis d'un liquide odorant.

« Lorsque mon passage sur terre devait durer plus de quelques mois, il me fallait alors une identité spécifique et un *travail* qui me permette de m'intégrer et de rester les deux ou trois années prévues. Actuellement, certains hommes de la Terre qui connaissent notre action souhaiteraient contrôler tout cela, et vos puces, vos cartes de crédit, vos identités et la façon dont chacun peut être surveillé même chez lui, vont contribuer à nous identifier. Ceci étant, nous ne craignons pas la technologie terrienne. Mais il est pourtant parmi vous des êtres d'autres planètes qui eux savent comment nous détecter et nuire à notre action.

Cependant, aucune peur ne nous habite car ce qui doit être sera, dans un sens comme dans l'autre. De votre réveil, de la croissance de votre cœur, dépendra la suite de votre histoire, et par répercussion de la nôtre.

Nous ne craignons pas la mort et jamais nous n'enlevons la vie. C'est une évidence pour nous tous ici, aussi nos *missions* sont-elles un don joyeux que nous faisons quelles qu'en soient les conséquences. Lorsque nous atteignons l'atmosphère terrestre, il arrive que nos vaisseaux densifiés soient susceptibles d'accident. Il en est même qui sont sur votre Terre dans des zones interdites ou seules quelques hautes personnalités ont accès. Les hommes de pouvoir cherchent comment ouvrir nos engins spatiaux sans succès, car ils ne connaissent pas le pouvoir du son et celui du cœur qui, combinés à des symboles, ouvrent les portes invisibles. Ces hommes savent seulement comment emprisonner des évidences. Ils connaissent aussi les champs d'énergie qui peuvent affaiblir notre action…

Un jour viendra, où vous n'aurez plus la possibilité de penser et d'agir d'une autre façon que celle qui vous sera dictée. Les marginaux, les révolutionnaires de l'Amour seront des exclus qui ne pourront vivre sur le sol de la Terre, car tout y sera contrôlé, prévu, pour ceux qui voudront bien être fichés et suivis. Ces temps sont proches, mais ils ne seront que ce que vous accepterez d'en faire. Nul ne peut obliger une âme à vivre ce qui est contraire à ses décisions. Encore faut-il choisir et ne pas laisser choisir qui que ce soit pour vous ! »

Un sentiment de tristesse mêlé à une confiance profonde m'habite. Je sais que nous avons la responsabilité de notre futur et que ce qui arrivera sera voulu par nous, mais en même temps un sentiment de lassitude m'envahit. Nous allons, peu à peu, vers une pensée, une monnaie, une uniformité générale qui permettront à toute forme d'autorité de gérer un groupe, et non des individus. Quelle facilité pour imposer et soumettre qui que ce soit !

Je lève les yeux vers les murs qui m'entourent, pour m'apercevoir que deux d'entre eux sont décorés de ce qui pourrait paraître une fresque ou un grand tableau… Rien de figuratif pourtant, mais des circulations d'ondes qui dansent et rendent l'ensemble très vivant.

« Chez nous, l'art a souvent une fonction précise. Ce que tu vois sur ces murs est une porte du temps. Selon tes pensées et tes recherches, les cristaux qui composent ces ensembles te permettent un contact avec telle ou telle période de n'importe quelle planète et à n'importe quelle époque de son humanité. Les cristaux sont de grands êtres à la mémoire fabuleuse. L'une de leurs capacités est d'enregistrer la mémoire du temps. Sur Terre, les hommes savent très rarement collaborer avec eux. En effet, ils imaginent à peine une partie des pouvoirs de ce règne minéral et pensent l'exploiter, sans savoir qu'ils peuvent y perdre leur âme. Je ne parle pas ici, du port de pierres en bijoux ou des utilisations momentanées que l'on peut en faire : je fais allusion aux objets de pouvoir que vous croyez détenir à travers eux.

Leur puissance est tellement supérieure à la vôtre, que si votre alignement avec vos divers corps n'est pas parfait, si vos pensées elles-mêmes ne sont pas totalement claires, c'est lui qui sera votre maître et fera de vous son esclave !...

Certains êtres de l'Atlantide ont cru avoir atteint un niveau suffisant pour *contraindre* le cristal à les servir. Ils ont oublié que cette simple pensée de pouvoir créait en eux une faille et une faiblesse. Ce fut l'une des causes de la chute de cette grande civilisation. »

Un grand silence paisible occupe l'espace. Le Sage nous regarde tous trois, et il émane de ce regard une tendresse immense, sans barrière, sans attente. J'ai, l'espace d'un instant, la sensation de plonger dans ce regard irisé et de me perdre dans un ciel constellé d'étoiles. J'y suis tellement bien que j'aimerais rester là indéfiniment, car c'est l'infini, le non-créé qui m'habitent alors !

Au fond de ma nuit étoilée j'entends la voix du Maître : « Ici, la mort n'est rien d'autre qu'un passage semblable à une naissance. Les êtres de la Terre en ont oublié l'Essence et ils ont tellement peur de cette mort, qu'ils vivent d'elle et la produisent à tout moment ! Il est rare de voir une planète dont les habitants tuent tout ce qui peut avoir forme de vie, soit pour se *protéger*, soit pour s'en nourrir. Ces actions renforcent en vous la peur de votre propre mort, car ces morts que vous provoquez vous habitent en permanence, et vous vivez ainsi en symbiose étroite avec la souffrance que vous créez. Mais regarde plutôt... »

Sur l'écran de ma nuit, apparaît alors une scène à l'intérieur d'un édifice semblable à celui de l'école de Sagesse. Là, dans une salle aux lumières douces et dans toute la gamme des bleus violets, je perçois, allongé dans une sorte de lit en forme de coquille, un homme blond du même âge que le Sage chez qui nous sommes. Une musique qui semble être une musique des sphères, s'écoule doucement dans l'air parfumé de la pièce. Tout ce qui émane du lieu est empreint de beauté, d'harmonie, de sérénité. Sur le mur qui fait face au lit, apparaissent des symboles lumineux, des lettres...

L'homme allongé sourit à une personne qui, assise à côté de lui, semble lui parler par télépathie.

« Nous nous trouvons dans l'une des salles du temple des désincarnations. Celui qui est dans le lit va quitter son enveloppe physique. Il l'utilise depuis plus de cinq cents ans et souhaite maintenant en prendre une nouvelle afin de se régénérer et de continuer avec d'autres données plus récentes. Il a pris soin de terminer ce qui lui paraissait important pour cette vie et pour les quelques mois que vous appelez curieusement *d'après-vie,* où il sera en préparation pour ses nouvelles fonctions. Ses proches l'ont laissé maintenant avec l'accompagnateur de son choix. Ils savent que celui qui part a besoin de calme et de sérénité, pour que le voyage soit le plus agréable possible. Avant d'arriver dans ce lieu, l'habitant de ce corps a contacté ses futurs parents. Ils ont préparé son départ et son retour avec minutie. La famille d'accueil sait qu'elle n'est là que pour un temps, celui durant lequel le nouvel incarné aura besoin de soutien et de présence physique... Mais cela dure très peu chez nous, contrairement à la Terre. Là-bas, sur Terre, les êtres s'extasient devant un enfant et essaient de le maintenir dans cet état le plus longtemps possible, si bien que la dépendance est souvent très longue par rapport au peu d'années d'activité restantes. Un Humain passe 21 années au moins à se construire sur un plan subtil, 30 années à travailler, et le reste à vivre ce qui n'a pas été vécu jusqu'à sa mort. La lenteur vibratoire de la planète explique ces faits. Ici, un être s'incarne et passe cinq à huit des années terrestres tout au plus, à réapprendre ce qui est nécessaire à sa croissance intérieure et au projet pour lequel il s'est incarné. À partir de ce moment-là, il devient complètement autonome et le restera durant toute sa vie active, c'est-à-dire, une moyenne de cinq cents ans... jusqu'à ce qu'il sente que son corps et son âme ont besoin d'un nouveau vêtement.

Les familles d'accueil ont donc un rôle important, de par les qualités et les possibilités qu'elles pourront offrir à celui qui s'incarne, mais ce rôle n'a rien à voir avec celui que se donnent les parents sur terre. Il n'y a aucune idée de possession, aucun orgueil de créateur, aucun lien privilégié dû au rôle de géniteur. Il s'agit bien davantage d'offrir des possibilités à des entités qui n'appartiennent qu'à elles-mêmes et qui, dès le moment de leur naissance savent où elles vont et ce qui les attend. Il n'y a aucune obligation ou contrainte dans cette relation parentale. L'expression *la chair de ma chair* nous fait beaucoup sourire ici, surtout vu la compréhension qu'en ont les parents terriens. Ici, la chair est simplement le vêtement que l'on construit dans un acte d'amour, et à travers lequel se glissera l'entité à un moment précis. Ce vêtement est tissé au fil du temps avec tendresse, mais ne donne aucune priorité à ceux qui sont à son origine. Les Grands êtres de la nature qui contribuent à construire le véhicule, sont un peu semblables à ceux qui interviennent sur terre, même si nos corps sont plus subtils. À ce niveau, il y a peu de différences.

Au moment de sa naissance, l'être qui s'incarne a pour objectif d'être au plus tôt utile et actif. En accord avec son âme, il passera donc les premières années à devenir autonome et prêt pour ses fonctions futures. C'est en ce sens aussi qu'il a encore besoin de l'aide de ses parents. L'amour ou l'affection sont pour nous des évidences mais il n'est guère besoin d'être parent pour en donner, et la qualité de ce don ne sera pas différente qu'il s'agisse d'enfants que nous faisons, d'enfants auxquels nous enseignons, ou d'adultes que nous rencontrons.

Sur Terre, posséder fait croire que l'on peut mieux aimer. Ce n'est guère le cas ici, et notre cœur est ouvert selon ses propres capacités, et non selon que l'on soit attaché ou non à une famille.

Nous savons tous que notre famille n'est jamais que provisoire et pour une incarnation présente. Nous savons aussi combien nous sommes tous reliés les uns aux autres par des liens changeant au fil de nos incarnations. Sur Terre, il en est de même, et si vous saviez quelle parenté vous avez eu au fil de vos nombreuses vies les uns avec les autres, vous seriez surpris de vous considérer encore comme des ennemis ! »

Dans la pièce des *désincarnations*, l'homme allongé pense et de lui émanent des ondes colorées, des visages, des scènes. Tout semble fluide. C'est un peu comme si, avant de prendre son envol, il faisait le bilan de sa vie sur le point de se terminer. J'y vois des événements heureux, d'autres moins, mais à chaque séquence, l'accompagnateur qui l'assiste, écoute et dénoue les fils restants lorsque cela s'avère nécessaire. Les couleurs qui environnent celui qui s'en va deviennent de plus en plus pastel, de plus en plus transparentes, de plus en plus lumineuses. Les scènes s'arrêtent tout à coup comme si le film était fini. L'accompagnateur se lève et va se placer à la tête de l'homme blond qui semble dormir très légèrement. Je perçois alors une brume légère qui enveloppe son corps, ou plutôt qui en sort par le haut de la tête. Peu à peu, cette brume prend forme : c'est la silhouette de l'être allongé qui quitte son enveloppe physique. Tandis que durait tout ce processus, les symboles se sont éclairés et éteints les uns après les autres. Ils sont au nombre de 12 et leur couleur va du rouge au blanc cristal, mais je n'en comprends pas encore toute l'utilité.

L'être est maintenant face à nous, son accompagnateur et moi, et avec beaucoup de douceur, il nous fait de la main un signe amical. La silhouette a disparu et l'accompagnateur reste en méditation quelque temps encore...

« Il accompagne celui qui part durant quelques instants, comme l'on fait parfois un bout de chemin avec un ami cher. Puis celui qui s'en va continue seul sa route, et durant quelques semaines, parfois quelques mois, il va se construire une nouvelle personnalité, de nouvelles bases sur lesquelles il pourra s'appuyer. Il va contacter les sept Sages de la Vie, et d'autres venant de planètes et d'univers différents de celui-ci. Cela va lui permettre d'apprendre ce qui sera nécessaire à sa future incarnation, sur tous les plans de son être. Il saura précisément les liens qui lui restent à affiner, à libérer, car son âme continue son évolution et l'apprentissage de l'amour total. Il va *faire le point* comme tu aimes à le dire. Puis viendra le temps de sa nouvelle incarnation qu'il acceptera avec joie, car il sait que la vie continue tantôt sous une forme, tantôt sous une autre. Ce futur corps est un cadeau de l'Amour à la Vie, à sa vie, sans limite de temps, de matière ou d'espace. Il retrouvera ses futurs parents et avec eux il construira les bases de ce que sera sa vie. Les rencontres seront fréquentes entre eux. Mais tu vas voir cela bientôt. »

La nuit étoilée s'estompe peu à peu ; notre hôte, qui nous fait signe de le suivre, m'invite à sortir. Nous empruntons un chemin bordé d'une végétation verte, rose et blanche qui nous mène à un petit bâtiment arrondi au toit en coupole fait d'une matière cristalline et irisée.

Chapitre 12

Futurs parents

« Ce bâtiment est un peu particulier : c'est ici que les futurs parents peuvent entrer en communion avec les entités qui s'incarnent chez eux. Ils peuvent bien sûr avoir cette rencontre chez eux, mais la forme et la matière de ce bâtiment, ainsi que ce qui émane du lieu, permettent des communions plus intenses, plus prolongées et plus aisées. »

Nous pénétrons dans une salle dont le plafond remarquable présente en son centre une coupole nacrée. Les murs sont lisses et semblables à un marbre rose, mais plus transparent, plus translucide et vivant. Des hommes et des femmes se tiennent sous la coupole, au centre, assis à même le sol sur des coussins blancs. Ils sont au nombre de six. Chaque couple se fait face dans le plus parfait silence. Une profonde sérénité imprègne l'espace et chacune des personnes présentes. Des vagues colorées enveloppent chaque couple comme autant de pensées de tendresse et d'amour. Je suis pénétrée par l'atmosphère du lieu dans laquelle je me glisserais bien. C'est alors que, tel un hologramme, apparaît auprès de chaque couple un être en trois dimensions, mais d'une couleur et matière un peu électriques. Il m'est difficile de dire mieux.

L'être holographique s'assoit et les trois personnes semblent ne plus en former qu'une tant les émanations colorées qui s'échappent d'elles s'unissent très harmonieusement.

« Les communications qui sont plutôt des communions se font très régulièrement pendant le temps d'avant la naissance. Cela aide beaucoup à l'harmonie entre ceux qui vivront ensemble durant tout le dernier mois qui lui est centré sur l'arrivée de l'entité et les préparations psychiques et symboliques des futurs parents. Le moment de la naissance est ici semblable au moment de la mort. La souffrance n'a pas lieu d'être car de part et d'autre, tout est voulu et accepté… Mais, viens! »

Avec mes deux compagnons, nous suivons notre guide jusqu'à une autre pièce, ressemblant plus à un laboratoire tant elle est éclatante de blancheur. Mais rien n'y est froid ou rigide et une lumière diffuse une teinte douce sans que je puisse en détecter l'origine.

« C'est ce que sur terre l'on appellerait *salle d'accouchement* continue notre guide. »

Je ne vois pourtant aucun instrument, pas même de lit, lorsque pénètre dans la pièce un couple qui nous fait un signe amical. Je ne sais que faire : allons-nous assister à un accouchement ou devons-nous laisser le couple seul et dans l'intimité ?

Mon expérience sur terre, comme ici, n'est pas des plus grandes et j'attends les instructions. Je suis alors très surprise de voir la jeune femme s'asseoir tranquillement dans un vaste fauteuil blanc que je n'avais pas vu, psalmodier avec son compagnon, debout à ses côtés, des mélodies qui me pénètrent jusqu'au fond de l'âme, m'apaisent et m'apportent une grande joie. Le couple porte des vêtements blancs, sans couture. L'homme en tunique et pantalon, la femme en robe longue. Une femme entre à son tour dans la pièce et après nous avoir salués, se dirige vers le couple. Elle paraît plus âgée. Elle s'agenouille aux pieds du fauteuil et semble absorbée dans une profonde contemplation. La future maman semble se détendre davantage lorsque, tout à coup, je remarque la présence de deux êtres lumineux, l'un d'énergie féminine l'autre masculine. Je les connais pour les avoir déjà rencontrés lors d'une naissance sur Terre*. Ce sont les maîtres de la corde d'argent, ceux qui attachent l'âme au corps pour qu'elle continue son voyage. Ici aussi, ils sont là, et leur présence donne tout à coup une dimension majestueuse, unique et sacrée à la scène qui se déroule devant nous. Tout va alors très vite. Un paravent est placé à côté du fauteuil, au niveau du visage de la future maman. Peut-être pour l'aider à se centrer ? De là où je suis, je ne vois que la femme qui l'assiste

---

* Cf. « Les neuf marches ». A. Givaudan et D. Meurois – Éd. S.O.I.S.

accomplir quelques gestes précis et rapides, tandis qu'un son très fin mais très dense se fait entendre.

« C'est, de la même façon que sur terre, le son précis qui permet à l'entité qui s'incarne de savoir que ce moment est le juste moment pour elle de prendre corps. »

Le Sage vient de me souffler ces mots, tandis que la femme toujours agenouillée aux pieds de la mère, saisit quelque chose dans la matière subtile du lieu. La jeune femme pose délicatement l'enfant qui vient juste d'apparaître sur le ventre de sa mère, tandis que le père pose sa main sur lui et l'autre sur son épouse. La *sage-femme* s'affaire maintenant autour du corps subtil de la mère. Elle coud dans l'air, coupe, extrait, replace, et à l'aide de ses mains, panse ce qui doit l'être.

Lorsqu'enfin elle semble en avoir terminé, elle pose la main sur le bas-ventre de la jeune mère et émet des sons, qui très vite se transforment en harmoniques. C'est alors que, autour de la maman, se forme un puissant courant de lumière et de *son-matière*, qui nettoie, illumine, enveloppe, réénergétise tout sur son passage.

L'enfant est là, les yeux grands ouverts, pleinement conscient de ce qui se passe autour de lui. Il ne lui manque que la parole, mais je sais qu'ici c'est juste une question de jours, de semaines tout au plus, pour que le petit être se remette du voyage et s'incarne complètement.

« L'avantage qu'il a sur ceux de la terre est que sa mémoire n'est pas occultée et qu'il s'incarne avec joie car il sait que le corps, aussi subtil soit-il, est un cadeau de la Divinité pour expérimenter la Vie ! Il n'y a pas ici comme sur terre cette peur de venir, cette nostalgie d'avant, ce non vouloir d'être là où nous sommes, cette colère de naître. Tout cela, nous l'avons connu il y a bien longtemps jusqu'à ce que nous comprenions que la Vie n'est pas ce que nous voulons qu'elle soit : la Vie est une école extraordinaire, où il est possible sans tension, de donner le meilleur de nous-mêmes à nous-mêmes et aux mondes qui nous entourent. Le Jour où nous avons accepté d'être incarnés avec joie, sachant que nous pouvions à travers les incarnations appréhender les plus belles expériences, ce jour-là, tout a changé pour nous. Le mental qui nous faisait croire que la matière était mauvaise et que donc nous étions coupables de quelque mal puisque nous avions à nous confronter à elle, ce mental s'est tout à coup effrité, comme un grand mur de prison qui s'écroule. Derrière ce mur, nous avons découvert le fabuleux cadeau que la Vie nous offrait, au-delà des souffrances et des joies, au-delà des séparations et de toutes nos créations dualistes.

Les êtres sur terre sentent maintenant qu'ils sont prêts pour autre chose. C'est aussi la raison qui fait que leur vie ne semble plus avoir de sens. Il y a trop de divergences entre ce qui est et ce à quoi certains aspirent de plus en plus.

Votre incarnation actuelle est l'un des plus beaux cadeaux que vous vous soyez offert et qui a été mis en place par la Grande Force qui nous habite tous. Nombreux sont les êtres, incarnés ou non, qui aimeraient participer à l'expérience qui est la vôtre.

Par cette vie, vous avez enfin la possibilité immense d'effacer tout ce qui a entravé votre marche jusqu'à présent.

Tous les liens que vous avez noués en d'autres temps – dans d'autres vies, diriez-vous – toutes les difficultés que vous n'avez pu résoudre, se retrouvent aujourd'hui sur votre route, non pour vous emprisonner mais au contraire pour vous libérer.

Vous ne pouvez garder, de vie en vie, des actes inachevés, des liens perturbants, oubliés certes mais toujours là. Toutes ces scories, tous ces nœuds, tous ces bagages qui vous alourdissent n'ont plus lieu d'être aujourd'hui, et la Vie vous propose de les dénouer, de les fluidifier, de les résorber et de les comprendre, les uns après les autres. Certains trouvent cette période trop éprouvante, mais si vous saviez le Grand Soleil qui est caché par ces soi-disant nuages, vous vous empresseriez de lâcher vos bagages encombrants ! La liberté qui vous attend derrière ce tunnel rempli d'obstacles qui sont aussi des marches, n'a pas de nom car vous n'avez aucune idée de ce qu'elle peut être. C'est une autre façon de marcher, une autre façon de respirer, de penser et d'aimer.

Vous avez actuellement la possibilité d'effacer vos *karmas* individuels pour aller vers une route plus vaste, plus lumineuse, où les problèmes qui vous occupent aujourd'hui n'en sont plus, car dépassés. Ne gaspillez pas cette chance que vous vous êtes offerte par des questionnements sans fin. Vivez, laissez la Vie vous mettre face à ce que vous devez comprendre, dépasser et enfin aimer, car c'est une partie de vous. Ne luttez pas contre quoi que ce soit, mais agissez en fonction de votre cœur, non de vos peurs.

Si cette transmutation intérieure ne peut se faire dans cette vie, d'autres bien sûr vous seront proposées, mais après combien de temps et d'obscurité ?

Je ne suis pas un juge, et je ne veux pas que ces paroles soient comprises comme des menaces à un monde qui ne voit pas l'opportunité et l'extraordinaire cadeau qui lui est offert. Je sais simplement les passages que notre propre monde a vécus, et je connais assez la terre et ses habitants pour savoir ce qui leur est proposé, et ce qui les attend derrière toute cette façade de théâtre.

Si une partie d'entre vous acceptait de cesser de jouer dans une tragédie, si au lieu de vivre vos cauchemars concrétisés vous viviez vos rêves réalisés, alors le miracle pourrait avoir lieu ! Que vos rêves soient les plus beaux, les plus lumineux, et que vous les transformiez en actes voilà ce que je souhaite au plus profond de moi aujourd'hui. »

Le Sage fait une pause de quelques instants durant lesquels s'installe un profond silence, épais et enveloppant comme de la ouate. Ces paroles chantent en mon cœur car elles ont une mélodie qui fait naître l'espoir. Un espoir vivifiant et tonique, qui donne envie d'être et d'aller jusqu'au bout de notre propre aventure, même s'il n'y a pas de bout, mais plutôt un infini sans nom. La voix reprend au creux de mon être :

« Ce que tu as vu aujourd'hui n'est pas l'unique façon de mettre au monde une entité. Certaines femmes choisissent de donner naissance à la Vie debout ou accroupies, ou encore dans un liquide proche de celui où l'enfant baigne dans le ventre maternel. Il n'y a pas de règle. Le psychisme des parents, et de la mère en particulier, sera déterminant. Cependant, quelles qu'en soient les formes, la naissance se déroule sans souffrance pour la mère comme pour l'enfant. La souffrance sur Terre est due à de vieilles croyances humaines, mêlées de péchés et d'interdits, de culpabilité et de non-Amour. Sortez de ce piège, de cette dualité restée dans vos mémoires cellulaires, où l'acte sexuel donnant place à l'enfantement est entaché de honte. Actuellement, me direz-vous, vous n'en êtes plus là ! Je le crois. Mais vos cellules en ont gardé la mémoire qu'il est temps d'effacer aujourd'hui. La souffrance est une création de votre ego qui divise, de vos tensions, et de votre mental qui vous fait croire que naissance et souffrance sont une même chose.

Aujourd'hui, il est des êtres qui s'incarnent avec une grande conscience et des souvenirs qui perdurent après leur arrivée dans le corps physique. Ces êtres ont, pour la plupart, suivi des enseignements ici ou sur d'autres planètes, selon leur tâche future. Ils ont également rencontré des enseignants de toutes les planètes environnantes. Ces nouveaux venus naissent aussi avec des modifications sur le plan que vous appelez génétique. Cela leur permet de comprendre sans difficulté des notions qui paraissent parfois incompréhensibles au commun des hommes, cela leur donne aussi des possibilités physiques jusque-là atrophiées chez la plupart. Ne te méprends pas, lorsque je parle de capacités, il ne s'agit nullement de super man ou woman, mais d'êtres qui ont des facultés d'adaptation et de compréhension beaucoup plus rapides à des conditions climatiques, électriques ou psychiques qui ne tarderont pas à survenir. Parmi eux, il est des êtres qui œuvrent pour le futur de la planète Terre, et ils se préparent aux modifications possibles que les changements de conscience et de cycles peuvent imposer. Ils ne savent pas forcément pourquoi ils sont là, mais ils ont, en eux, un fil conducteur qui les mène là où ils ont décidé d'aller. Les parents de ces enfants sont parfois déroutés devant l'indépendance, la personnalité, la lenteur ou la vivacité de leur progéniture. Il faut qu'ils sachent qu'ils sont face à des entités autonomes qui ont essentiellement besoin de bases solides, donc d'enseignants ou de parents qui ne soient pas trop *laxistes*. Ces êtres ont cependant une nécessité absolue d'autonomie, ce qui ici ne signifie pas dans mon langage *faire* ce que l'on veut. Lorsque j'emploie le mot *autonomie*, j'entends par là une liberté de pensée et d'action qui correspond à ce que l'être sent profondément au fond de lui. Il ne s'agit pas, non plus, d'une liberté superficielle qui déstructure celui qui l'utilise. Ces êtres doivent rester autonomes, dans la mesure où ils ne sont pas là pour combler les manques affectifs ou sociaux de leurs parents. Leur travail n'est pas de faire ce que d'autres n'ont pas réussi, mais de faire ce pour quoi ils sont venus.

Les uns, plus en contacts avec les mondes subtils, peuvent paraître lents et hors du monde. Ce n'est pas le cas : ils sont simplement liés à un monde que la plupart ignorent.

— Ces enfants demandent-ils une éducation particulière ?

— Il est évident que ce que vous appelez enseignement sera bientôt dépassé. Un être ne peut simplement structurer son mental et passer une grande partie de sa vie à cela, mais je sais que sur Terre certains essais ont été faits : d'autres sont en cours et porteront leurs fruits dès que la Vie sera considérée comme autre chose qu'une *lutte pour la Vie* ce qui paraît ici une aberration. Mais sans parler d'enseignement, le rôle des parents consiste simplement à s'adapter à ces êtres différents qui s'incarnent ainsi, depuis quelques années, en plus grand nombre.

Que les parents ne considèrent surtout pas cela comme un privilège ! Ces êtres sont simplement adaptés aux propositions nouvelles de la Vie sur Terre. Ils ne sont ni pires ni meilleurs que d'autres, ils ont simplement besoin d'éléments différents. Il en est parmi eux de lumineux, d'autres qui balbutient et cherchent la lumière, d'autres encore qui sont là pour détruire, mais chacun a sa place, aussi confortable ou non soit-elle. Cessez de penser en notions de bien ou de mal, que ce soit pour les êtres ou pour les événements. Ce qui vous paraîtra nocif un moment pourra avoir des répercussions positives que vous ne pouvez imaginer. Ne vous érigez pas en juge, constatez, faites des choix en fonction de vous-même et de votre propre évolution, le reste ne dépend pas de vous. La Vie est un courant d'énergie qui jamais ne cesse et toujours se transforme. Glissez-vous en elle, faites la vôtre et soyez Elle : votre but c'est de retrouver votre propre soleil ! »

Sur ces paroles, nous quittons tous les quatre le temple des naissances. Dehors, le ciel est orangé et l'air embaume d'un parfum subtil qui me fait songer à un mélange de jasmin et de freesia. Il n'y a pas un souffle d'air, et là-bas sur l'horizon se lèvent, tour à tour, deux sphères rondes et pleines. On a l'impression de deux lunes...

« C'est exact, dit Djarwa en nous amenant vers le véhicule stationné devant la maison du Sage !

Nos jours et nos nuits ne sont pas rythmés de la même façon que sur Terre, quant aux lunes que tu vois dans notre ciel, ce sont nos deux satellites, comme vous les appelez, qui ont été créés – pour ne pas dire expulsés de notre planète – après chaque évolution majeure de celle-ci. Ainsi sur ces lunes, vivent des êtres qui ont un rythme plus lent que celui de notre planète et qui ont besoin de plus de temps pour vivre et expérimenter ce qu'ils n'ont pu faire lors de leurs incarnations sur Vénus. »

Le Sage sourit aux paroles de Djarwa avec un air approbatif, et nous nous installons tous les quatre sur les confortables sièges du petit véhicule.

Sumalta, à mes côtés, me fait part du programme qui va suivre :

« Nous allons dans un premier temps prendre d'autres vêtements, puis nous nous rendrons à une réunion un peu particulière, à laquelle nous sommes autorisés à assister dans le cadre de ce que je dois transmettre au sujet de cette planète. Avant la réunion, il y aura un repas auquel je pourrai ou non participer, puisqu'il n'est pas nécessaire de nourrir mon organisme subtil... »

Heureuse de ce qui m'est proposé, je vois tout à coup apparaître le dôme de mon habitation provisoire, au-dessus de quelques feuillages. Je suis aussi heureuse que si je rentrais chez moi tant je me sens acceptée et incluse dans la famille.

Je suis Sumalta jusqu'à une petite pièce, tandis que Djarwa et le Sage nous attendent dans le salon. Là encore, les murs semblent sans aucune ouverture. Tout y est lisse et de couleur vivante et changeante, jusqu'au moment où Sumalta, d'un geste précis de la main, fait glisser un pan du mur. Comme pour le salon, derrière le mur apparaît un vaste placard dans lequel je découvre une étrange garde-robe.

Rangées sur des *cintres* transparents, ou plutôt translucides, des tenues aux couleurs diverses attendent d'être choisies. Les formes ne sont pas très variées, mais il se dégage d'elles une grande harmonie. J'y vois des tuniques à longues manches resserrées aux poignets et à col droit, certaines ouvertes sur le devant, d'autres aux manches longues et droites, laissant apparaître des cols en « V ». À chacune est attachée une ceinture correspondant à la couleur du vêtement. La matière quant à elle, est certainement ce qui contribue à donner ce sentiment d'unité. Il s'agit d'une matière souple que l'on pourrait un peu comparer à de la soie, dont les couleurs seraient une véritable explosion de joie. Les plus éclatantes, les plus douces, les plus changeantes sont représentées : il en est même dont je ne saurais dire le nom, ne les ayant jamais vus sur Terre. Certains vêtements semblent d'ailleurs changer de couleur assez rapidement, sans aucune volonté de ma part.

À côté des tuniques, j'aperçois des pantalons de même matière et de même couleur, puis des robes courtes ou longues assez semblables aux tuniques. De ces vêtements, ce qui m'étonne le plus, est de les voir tous sans aucune couture. Ils sont faits d'un seul tenant, ce qui, chez les Esséniens* leur garantissait des propriétés énergétiques particulières.

Sumalta, qui n'a aucune difficulté à lire mes pensées acquiesce aussitôt :

« Ici aussi c'est le cas, et les Esséniens tiennent cela d'enseignements plus lointains, qui eux-mêmes ont été délivrés par des êtres semblables à nous.

Le fait de ne pas avoir de couture permet aux énergies vitales et subtiles de ne pas se perdre. C'est un peu comme un œuf de lumière qui offre à la fois une protection et garde une énergie lumineuse pour celui qui en est le porteur. Le matériau qui constitue nos vêtements contribue aussi à en faire des piles d'énergie vitale. Ce matériau que vous ne connaissez pas encore, rend également, sur un plan plus pratique, ces vêtements insalissables ou autonettoyants. Quant aux couleurs, nous les choisissons en fonction de ce que nous avons à faire, de ce que nous ressentons, de nos sentiments et aussi de la couleur de notre aura. La plupart de ces vêtements comportent plusieurs couleurs qui peuvent changer durant le cours de la journée. Les ceintures ont une fonction bien précise en rapport avec le centre énergétique qui communique avec elles, et avec le cercle qui en chaque être sépare le haut du bas. Ces ceintures ne sont pas simplement colorées en fonction des vêtements. Si tu avais regardé de plus près, tu y aurais aperçu des pierres précieuses qui agissent comme des aimants rééquilibrants

---

* « De mémoire d'Essénien ».
D. Meurois et A. Givaudan – Éditions Le Passe-Monde.

et qui rayonnent différemment selon leur couleur. Ces ceintures contribuent à une bonne harmonie entre le haut et le bas de chaque être, quels que soient sa fonction et le travail qu'il doit accomplir, mais elles ont également une action émettrice qui crée un environnement propice à l'action à accomplir.

Maintenant, souhaites-tu essayer l'une de ces tenues ? »

J'accepte volontiers et je choisis dans la garde-robe une tunique et un pantalon d'un blanc nacré. La ceinture qui accompagne l'ensemble est d'une couleur identique, avec en son centre une pierre qui ressemble à une pierre de lune.

J'enfile les vêtements, tandis que Sumalta fait de même avec une robe d'un bleu intense. À peine ai-je revêtu la tunique qu'un sentiment profond de sécurité et de bien-être m'envahit. Le pantalon et la ceinture renforcent cette sensation, tandis que j'enfile des chaussures un peu semblables à des chaussons montant jusqu'à la cheville. Me voilà prête non seulement sur un plan esthétique, mais aussi intérieurement. Je réalise tout à coup que je ne me suis absolument pas préoccupée de la taille des vêtements et pourtant, ils me vont parfaitement.

« Nos vêtements n'ont pas de taille particulière, ils s'adaptent au physique de chacun. Il est rare que nous les échangions pour une simple question d'énergie. Comme ils ne peuvent s'user, nous dissolvons ceux dont nous n'avons plus l'usage afin que les matériaux puissent regagner le règne auxquels ils appartiennent. »

Nous retournons vers le salon où j'ai la surprise de voir Djarwa dans une superbe tenue orangée. Il rayonne d'une puissance que je n'avais pas encore perçue. Il porte une pierre en médaillon. Elle est d'un bleu sombre aux reflets dorés et d'elle émane une clarté très pure.

Devant mon air interrogateur, c'est le Sage qui prend la parole :

« Nous portons très peu de bijoux sur Vénus, cependant, selon les nécessités, il arrive que nous demandions à un être minéral de nous accompagner, pour renforcer telle capacité en nous, ou éveiller momentanément l'une d'elle. La pierre que tu vois là, a des propriétés particulières dans tout ce qui touche aux capacités psychiques. Djarwa en aura besoin lors de la réunion à laquelle nous allons nous rendre.

— Pourtant, sur vous je ne vois aucune pierre ni à la taille ni ailleurs, avançai-je ?

— Les années et l'expérience rendent les êtres plus capables de concentrer leurs énergies, et de les maintenir avec plus de force et de constance. Il ne s'agit aucunement de juger les capacités des uns ou des autres mais de savoir que les nécessités varient selon le parcours de chacun. »

Je sais que le Sage n'en dira pas davantage… Aussi nous dirigeons-nous maintenant vers ce que je suppose être le lieu de notre rendez-vous.

Chapitre 13

Le Conseil des douze

Les colonnes qui supportent l'ensemble de l'édifice donnent une majesté à tout le bâtiment. Elles sont pourtant simples, mais les proportions, les couleurs et ce qui en émane, doivent contribuer à éveiller en celui qui en franchit le seuil, un sentiment de respect. Tout me paraît gigantesque comparativement aux autres bâtiments déjà visités. Nous avançons à la suite du Sage le long de couloirs qui s'étirent à l'infini. J'ai la sensation de parcourir un labyrinthe, mais d'une façon tout à fait voulue et étudiée. Parfois, j'ai la curieuse impression de monter le long d'une spirale qui m'entraîne vers un haut que je n'imagine même pas tant, il me semble lointain. Sensation de vertige ! Tous mes points de repère m'abandonnent...

« Tu pénètres ici dans un sas qui a pour fonction de te laver au fil de ton avance, de toutes les scories – que ce soit sur un plan physique ou subtil – que tu aurais pu emmagasiner jusqu'alors. Tu parcours un itinéraire qui n'est pas dû au hasard et qui, comme les formes labyrinthiques, te permet de rejoindre une partie de toi plus profonde et souvent délaissée. »

La voix qui me parvient m'est inconnue. Elle résonne en moi un peu comme un écho, et je me laisse guider par le son puissant qui en émane.

« Poursuis maintenant l'itinéraire en écoutant seulement la voix de ton propre cœur. Tes amis sont déjà arrivés à destination. Tu es seule ici et nous t'attendons. »

La voix s'est tue et je suis là, un peu perdue dans cet immense et majestueux couloir de lumière, lorsque soudain, plusieurs choix d'itinéraires s'offrent à moi. Ils sont trois, trois autres couloirs, aussi semblables que possible les uns les autres. Comment choisir celui qui me mènera vers ceux qui attendent ? Un malaise m'envahit sous forme de doute : *et si je me trompe, où vais-je me retrouver ? L'expérience cessera-t-elle ?* D'un revers de main, j'efface ce doute et je me centre sur le seul but de cet instant : arriver vers eux que je ne connais pas, mais dont je sens tellement la présence. C'est alors que mon mental essaie une nouvelle attaque : *Essaie le couloir de droite, tu sais bien que la droite a toujours un sens positif et actif* me souffle-t-il. Je tourne diverses solutions dans ma tête sans parvenir à me décider. C'est alors que ne sachant que faire, je me souviens tout à coup que la voix m'a parlé de mon cœur… Mon cœur, mon intuition, que j'avais complètement oubliés. J'écoute avec attention non plus ce qui se passe en dehors de moi, mais cette fois, à l'intérieur de moi. Au début, je suis un peu déçue, car seul un bourdonnement se fait entendre, mais peu à peu le bourdonnement devient plus léger, plus vif, plus rapide. Il ondoie et se transforme en une vague qui m'inonde de sa transparence. Je lève la tête, et rouvre les yeux que j'avais fermés pour mieux entendre.

Les couloirs sont toujours là, mais cette fois ils sont différents, d'une différence subtile qui émane uniquement de la qualité d'énergie qu'ils émettent. Je n'ai plus l'ombre d'une hésitation, et devant les couleurs diaphanes qui m'appellent, j'avance d'un pas confiant dans le couloir central, tandis que derrière moi les deux autres couloirs s'assombrissent rapidement.

Cette fois le parcours se fait avec facilité et je débouche sur une majestueuse salle en coupole. Les voûtes sont translucides. Une lumière diffuse une grande douceur sans que je puisse en déterminer la source. Au milieu de la vaste pièce, au centre de la coupole, se trouve en suspension, la sphère de *cristal* de vie et d'énergie, que j'ai vue déjà dans diverses salles et dans le grand vaisseau-mère. Celle-ci est la plus grande, la plus rayonnante de toutes celles que j'ai pu voir et il émane d'elle une énergie presque palpable.

Autour de cette sphère de grande dimension, sont installés douze fauteuils dans lesquels se tiennent des êtres dont la vue me remplit de joie. Je reconnais certains d'entre eux pour les avoir déjà vus lors de mes diverses expériences sur d'autres plans de conscience ; l'un d'eux fait partie des grands êtres qui maintiennent une onde bénéfique autour de la planète Terre et lui permet de rester en vie. Avec six autres grands êtres, il aide la planète Terre par l'émission d'un son, qui par sa seule vibration permet la continuation de la Vie. Il est l'un des habitants de ce que certains nomment Shambhalla, même si le nom – actuellement inconnu – n'est plus celui-là.

« Sois la bienvenue ici ! Nous avons tenu à ce que tu assistes à un moment de ce conseil très particulier car nous savons que sur Terre, certains utiliseront ce qui y sera dit à des fins bénéfiques. Nous n'ignorons cependant pas que d'autres auront pour but de dénigrer et de détruire ce qui pourra y être dit... Cependant, ajouta l'être après une pause, nous n'avons plus le choix et attendre encore signifierait accepter que le voile de l'ignorance recouvre une nouvelle fois la Terre, et ce pour des temps que vous ne pouvez imaginer. »

Le grand être s'est tu et dans son regard je lis une immense tendresse qui ne s'adresse pas à moi uniquement, mais à tout ce que ce regard englobe. À ce moment précis, je suis persuadée qu'un tel regard peut redonner vie à ce qui semble fait du matériau le plus inerte tant la chaleur qui s'en échappe dispense la vie !

Celui qui s'est adressé à moi est grand et blond. Ses cheveux sont au niveau de ses épaules et il porte une robe d'un bleu céruléen. La noblesse et la force qui se dégagent de lui sont évidentes et n'ont rien à voir avec ses vêtements ou son aspect physique. C'est réellement ce qui émane du plus profond de lui qui en est la cause. Il me fait signe d'avancer en direction de la sphère, vers le centre de la pièce.

En regardant plus attentivement l'assemblée, je vois mes trois amis installés dans des sièges supplémentaires, un peu en retrait des douze fauteuils. Une onde très spécifique, que j'ai des difficultés à comprendre avec mes repères habituels, inonde la pièce.

« Nous te devons quelques explications, continue l'être blond. Tu es ici dans la salle du Conseil des Sages. Nous avons pour mission de nous réunir régulièrement pour prendre des décisions importantes concernant les diverses planètes qui nous entourent. Ces réunions ont lieu alternativement sur l'une ou l'autre des planètes de l'Alliance, dans une salle analogue. Le représentant de la planète qui invite préside les *débats*, ce qui me vaut cet honneur aujourd'hui. Ce que tu vois ici est très particulier en ce sens qu'il ne s'agit pas d'une réunion du Conseil des douze de la planète Vénus, mais d'une réunion interplanétaire. Nous représentons tous une planète particulière : voilà pourquoi tu as pu t'apercevoir combien nous sommes physiquement différents.

Nous avons trois sortes de conseils : Le Conseil des douze concernant chaque planète ne se fait qu'avec les représentants de la planète en question, même si exceptionnellement des visiteurs d'autres planètes y assistent. Le deuxième Conseil des douze est celui concernant les décisions relatives aux planètes de notre système solaire. C'est celui auquel tu as la chance d'assister ici. Le troisième, plus rare, concerne les douze Représentants des divers systèmes solaires. »

Les êtres étaient très différents les uns des autres. Les plus proches de notre type physique actuel pourraient être les représentants de Vénus, de Jupiter, et de Mars. Le représentant de la Terre s'avéra être celui que j'avais reconnu dès le début, pour l'avoir vu des années auparavant au cours d'une expérience qui m'avait permis de prendre contact avec les sept Grands êtres en contact vibratoire permanent avec la Terre.

L'être blond qui semble présider à la séance me montre un siège qui, comme celui de mes amis est légèrement en retrait des douze. Mon fauteuil est près du sien et je m'y assieds aussitôt

« Tu as certainement remarqué que nous sommes six êtres d'énergie féminine et six d'énergie masculine. Ceci est respecté à l'intérieur de chacune de ces réunions car nous vivons encore dans des mondes où le masculin et le féminin ne sont pas encore complètement unifiés. Il est donc essentiel que les deux polarités soient présentes, car elles sont totalement complémentaires. »

La séance semble commencer lorsqu'un son très particulier, émanant de chacun des représentants planétaires, emplit la salle. Le son ondule et devient presque palpable. Il voyage d'un cœur à l'autre, il tournoie et forme des arabesques, pour enfin se stabiliser au cœur de la sphère de cristal qui étincelle de vie. D'elle, sortent des gerbes de lumières qui, à leur tour, rejoignent le cœur des participants. Je me sens remplie d'une gratitude infinie devant tant de beauté et d'harmonie… Une seule parcelle de cette lumière, devrait suffire à guérir notre planète malade. Je rêve d'un monde où tout serait plus beau, où la beauté et l'harmonie, sœurs de la joie et de l'amour, auraient la plus belle place.

« Ce n'est pas un rêve, et bien des planètes l'ont déjà réalisé. La terre a juste un peu de retard ! »

C'est mon ami le Sage qui m'envoie ce message télépathique sur un ton enjoué. Je regarde dans sa direction et il me sourit d'un air entendu.

C'est alors que l'un des douze, d'une voix sonore prend la parole :

« Ce Conseil, tenu ce jour, concerne essentiellement la planète Terre, car c'est elle que nous cherchons à aider durant ce moment difficile. Nous avons tous ici des centaines de vos années et nous avons assisté à de nombreux changements sur cette planète qu'est la Terre. Vous n'êtes pas sans ignorer que la Terre en est à sa quatrième incarnation. Ceux qui vivent sur elle et en elle sont maintenant aptes à passer à un autre niveau de conscience. Mais nous savons que certains êtres n'ont aucun intérêt à ce que les humains et la Terre fassent partie des planètes confédérées de l'Alliance. Pourtant personne n'est à jamais soumis à l'asservissement imposé et les êtres de la Terre sont capables de s'affranchir s'ils le veulent vraiment. Mais le veulent-ils ?

Cette question implique une réponse, mais le oui prononcé est souvent intellectuel. Je veux dire que s'affranchir de la pesanteur créée pour asservir les humains demande une action immédiate, constante et profonde. La chape de plomb qui pèse actuellement sur toute la sphère terrestre rend les choses plus difficiles. Pour ma part, j'interviens dans tout ce qui concerne les découvertes, les recherches scientifiques et surtout l'avance technologique, mais la léthargie qui habite en chacun est tellement profonde, que les terriens ne s'en aperçoivent même pas ! Ils passent des longs moments à s'épier, à convoiter telle ou telle découverte, sans s'apercevoir que cette attitude ne sert que les êtres de pouvoir qui veulent faire d'eux des esclaves.

Que proposons-nous donc ? J'ai besoin de l'avis de vous tous, mes frères et sœurs, car le moment des changements s'approche à grands pas ! »

Une profonde méditation ou introspection semble habiter chaque personne de cette assemblée, et cela dure jusqu'à ce qu'un des douze à l'énergie plus féminine prononce ces mots :

« Nous connaissons tous ici les risques encourus pour toutes les planètes du système solaire dus aux expérimentations démesurées et irréfléchies qui se pratiquent en ce moment sur la planète Terre. Nous ne pouvons intervenir car cela serait contraire à la loi d'évolution. Lorsque je dis *intervenir*, je signifie par là une manière autoritaire d'induire des actions. Ceci étant, par le passé et des quantités de fois, nous avons manifesté notre présence pour le bien de tous. Aujourd'hui encore, chacune de nos planètes a des représentants au milieu des humains. Vous me connaissez tous ici pour mes fonctions de représentante de la bonne marche des relations entre les différentes planètes. Sur Terre, des systèmes que leurs constructeurs pensent sophistiqués et au point, sont en place pour capter des signes que nous pourrions envoyer, des messages. Ils oublient que ces machines, pour aussi précises qu'elles soient, ne peuvent entrer en contact avec nous. Leurs ondes sont trop lourdes pour que nous puissions y laisser des signes traduisibles. Ces constructeurs doivent considérablement simplifier leurs capteurs et tenir compte du son primordial et de l'espace-temps dans l'élaboration de leurs appareils. Il est aussi essentiel qu'ils prennent en considération les énergies du lieu sur lequel ils les posent, mais aussi la forme et les nombres sur lesquels ils bâtissent ces capteurs.

Pour ma part, je pense qu'une communication devrait pouvoir s'établir avec les habitants de la Terre d'ici quelque temps, en tout cas suffisamment tôt, pour que les consciences puissent s'éveiller à d'autres réalités et pour que cela évite une plongée dans une léthargie corrosive.

Certains des nôtres sont déjà en communication avec des terriens, mais que de secrets et de problèmes autour de tout cela...

— Je crois qu'elle a raison, et chez nous également nous sommes optimistes quant à l'issue finale de l'avance de la Terre. Je dirige les flottes intergalactiques et le système de surveillance des planètes, dont la Terre. Les terriens sont des enfants : ils n'imaginent pas un instant, que pendant qu'ils luttent pour des morceaux de terre ou des prérogatives illusoires, l'essence de leur être est en danger. Ils n'imaginent pas qu'autour de la Terre et dans le Cosmos, la lutte existe aussi, mais qu'il ne s'agit plus de bouts de terre ou de priorité raciale, mais de Vie d'une planète et de sa continuité ou de sa dissolution dont il est question ! »

L'être qui a pris la parole est drapé dans une longue robe. Sa large carrure, sa peau olivâtre ainsi que son crâne oblong presque rasé, lui confèrent un aspect fort et décidé. Autant l'énergie féminine m'avait apporté optimisme et douceur, autant ce nouvel intervenant me rassure et me sécurise. Je décide de leur faire confiance : je crois qu'il ne s'agit nullement d'envie mais d'un sentiment envahissant contre lequel il ne sert à rien de lutter.

L'être de couleur olivâtre continue :

« Les luttes terrestres actuelles sont de pauvres caricatures en comparaison de l'enjeu qui se déroule hors de cette planète, mais les humains n'en ont aucune idée et certains galactiques sont tout à fait heureux de cette situation ! Ils espèrent ainsi que la confusion sera telle que personne ne pourra faire confiance à personne. Ainsi, eux seuls apporteront des solutions provisoirement satisfaisantes, mais qui très vite soumettront les êtres et les mettront à leur service.

Nous avons tous mis beaucoup d'espoir dans la planète Terre, car ce qu'elle peut offrir est fabuleux ; mais les terriens accepteront-ils de s'unir, d'aller au-delà de leurs différends pour faire cause commune, afin de s'extraire de la prison qui peu à peu les recouvre ? La question pour moi se situe à ce niveau. Nous ne pouvons rien entreprendre de solide sans une participation des habitants de la planète Terre. C'est à ce prix que la Terre passera le cap qui est le sien avec ses habitants. Dans le cas contraire, elle évoluera seule. »

Cette dernière parole résonne en moi comme un verdict. L'être au crâne oblong s'est arrêté et un profond silence suit son intervention, lorsque déchirant le voile qui s'installe, la voix douce et profonde d'un être qui paraît très androgyne résonne au plus profond de moi :

« J'aimerais moi aussi vous exprimer ce que je ressens, car en tant que thérapeute j'ai depuis des siècles pour mission l'avance de la connaissance des corps physiques et subtils des êtres de toutes les planètes, mais aussi la connaissance des mécanismes que sur Terre l'on appelle *psychiques* dit-il en se tournant plus spécifiquement vers moi.

De par cela, je peux témoigner d'une évolution d'une partie de la population terrestre, qui me laisse présager une prise de conscience rapide, et par là même un redressement de la situation actuelle. En effet, le gouffre des émotions semble enlever tout discernement à la population terrienne, et seuls ceux qui travaillent pour le pouvoir semblent avoir maîtrisé le domaine des émotions ; mais derrière tout cela je peux percevoir l'éclosion d'une fleur plus belle qu'aucune connue jusqu'à présent... »

Pendant cet instant de pause, nous sommes tous attentifs et prêts à recevoir ce qui va être dit.

« La fleur dont je pressens l'éclosion est un mélange d'émotions portées à un degré élevé qui, unies à la raison en passant par le cœur, donneront un amour et une puissance rarement égalés à ce jour ! Une partie des humains est prête à vivre au rythme de son cœur mais ils ne savent pas comment, et les expériences faites sont parfois si maladroites qu'elles laissent à penser que celui qui agit ainsi est un naïf.

Actuellement allier le cœur à la raison est un exercice difficile où la plupart se perdent, parce que l'esprit humain est compliqué et que pour lui *beau et simple* a souvent une connotation péjorative... À nous de lancer des émissions de formes qui permettront de comprendre ce que simplicité signifie ! Certains de mes collaborateurs sont déjà en mission sur terre pour permettre ce type de connaissance. Des savants et chercheurs de la Terre savent déjà comment supprimer du cerveau des ondes parasites, comment enlever une partie de la mémoire pour en développer une plus *profitable*, comment enlever des souvenirs et les substituer par d'autres, comment manipuler à distance les leurs. Ils sont aidés en cela par des humanoïdes qui sont des hybrides entre des êtres de certaines planètes et les Humains. Ces distorsions génétiques donnent, entre autres, des êtres coupés des sentiments quels qu'ils soient. Du moins est-ce le but... Mais les savants, aussi doués soient-ils, ont oublié un élément essentiel : une créature, quelle qu'elle soit, possède toujours en elle une étincelle divine qui ne dépend pas de son créateur d'origine. Personne ne peut prévoir ce qui peut s'éveiller à partir de cette parcelle d'amour. Sans Amour il n'y a pas création et la vie ne peut exister mais si la Vie implique ne serait-ce qu'un embryon d'Amour, alors le risque majeur est de le voir se réactiver à tout moment et d'une façon incontrôlable.

Les Terriens pensent pouvoir un jour tout contrôler, mais le principe même de la vie est incontrôlable car il n'appartient à personne. C'est en ce sens que va mon espoir, car quoiqu'il arrive, au fond de chaque vie, il subsiste la Vie et l'Amour qui ouvrent la porte vers la liberté. »

Le bel être androgyne reprend sa place et l'assemblée sourit. Je sens que peu à peu, grâce à l'intervention de chacun, la situation semble présenter une ou plusieurs issues.

Je regarde alors le représentant de la Terre qui, debout, se dirige comme chacun vers la sphère pour se placer non loin d'elle. Sa voix s'élève et ses propos qui ne sont empreints d'aucune émotivité émettent des couleurs apaisantes.

« Voilà des millions d'années terrestres que nous avons pris la Terre sous notre protection. Il est temps maintenant que nous rendions une complète autonomie à ses habitants, comme un parent lâche à un moment donné la main d'un enfant pour qu'il puisse enfin marcher seul. Mes frères de Shambhalla et moi-même pensons que ce moment est bientôt venu. L'homme de la Terre a maintenant suffisamment de connaissances pour mener sa route. Elle sera ce qu'il en fera. Des guides terrestres ont peu à peu commencé à prendre place et seront aptes d'ici peu à prendre le relais. Ce n'est pas un abandon que nous proposons ici, mais un acte de confiance et d'amour envers des êtres qui ont longtemps cheminé. »

Ces dernières paroles ont été dirigées dans ma direction et je sais au fond de moi ce que l'être qui parle veut signifier. La voix continue :

« Tu ne peux ignorer que des Terriens, aidés en cela par des êtres venant d'autres mondes, ont prévu l'éventualité d'une catastrophe planétaire. Afin de se mettre à l'abri de cette destruction, ils mettent en place des sortes de vaisseaux qui les mèneront vers différentes planètes pour y sauvegarder ce qu'ils pensent être des vies précieuses ! »

Je vois dans le regard du grand être une étincelle d'humour lorsqu'il prononce ce dernier mot.

Il continue :

« Ces humains pensent ainsi préserver ce qui leur paraît important et coloniser d'autres mondes. Ils ont simplement oublié ceci : la technologie, sans la voie du cœur, n'est qu'une coquille vide et les mondes qu'ils atteindront de cette façon seront à l'image de leur cœur, des coques sans âme !

Quelles que soient les bases envisagées sur quelque planète que ce soit, ils n'atteindront que le corps mort depuis longtemps du lieu où ils pensent se réfugier. L'Amour seul leur permettra de rentrer en contact avec la vie des divers mondes qui entourent la planète Terre. On n'échappe pas à soi-même, et ce qui n'aura pas été résolu sur terre se représentera ailleurs, et ceci durera tant que l'humanité cherchera l'espoir et la vie à l'extérieur d'elle-même. »

Le représentant de la Terre reprend sa place, tandis qu'un être de large carrure et vêtu d'un long vêtement ceinturé se lève à son tour. La boucle de sa ceinture, formée d'une magnifique pierre aux reflets violets, étincelle de mille feux. Les lumières presque tangibles qui s'en dégagent, ondulent et rejoignent chacun des participants, formant ainsi un cercle de lumière unissant les cœurs entre eux. Au moment précis où l'éclat de la pierre atteint mon propre cœur, je sens une unité jusque-là inconnue m'envahir. Comment décrire la Paix, la joie et le calme qui inondent toutes les particules de mon être ? Instantanément, je me sens au cœur de chacun des participants, je suis eux et je suis moi, non pas différents et unis, mais UN. Je fais partie d'un Tout que je ne saurais décrire. Je suis une étincelle qui vit d'une façon tellement ardente que nos plus fortes émotions, nos plus grandes sensations me paraissent des caricatures de vie !

L'être parle, je le sais mais je n'entends pas les mots. Seuls des courants me parcourent ; ils parlent de Vie, d'Espoir et tout me paraît fondé. La Vie, quelles que soient ses manifestations est terriblement juste, depuis ses plus grandes réalisations jusque dans ses moindres détails. Je comprends que cet être donne des enseignements pour lesquels je n'ai pas de clé d'accès.

Mon guide se lève, suivi de mes hôtes qui me font signe de les suivre. Nous allons quitter la pièce, mais avant que je ne me lève à mon tour, un petit *homme*, enfoncé dans le large fauteuil qui est le sien, m'offre un merveilleux sourire et ces quelques mots :

« Si la planète Terre est l'une de nos préoccupations actuelles, c'est parce que le choix que vous allez faire est essentiel. Vous serez bientôt en mesure de nous rejoindre ou de tout recommencer, mais dis bien que quoi qu'il arrive et quel que soit votre choix, la force de notre amour sera toujours à vos côtés. »

Dans les yeux pétillants de vie de ce petit être à la tête ronde il y a l'espoir, tellement tangible que tous les nœuds créés par une situation au futur désespérant, disparaissent, se dissolvent et laissent place à une confiance sans limite ! À cet instant, c'est la Joie qui m'habite en pensant à la Terre, une joie profonde et sereine, sans questionnement sur les pourquoi et les comment d'un devenir qui est un *éternel présent renouvelé.*

« La présence de chaque être humain est d'une grande importance à ce moment charnière de la vie terrestre. Ne négligez pas ce fait. Il n'est nul besoin de grandes connaissances ou de nombreux exercices pour cela; seuls votre conscience, votre attention, votre sourire sont susceptibles d'engendrer des miracles. La simplicité est un art difficile à pratiquer dans un monde où les masques ont recouvert peu à peu votre nature véritable. C'est l'une des raisons de vos difficultés à communiquer à l'extérieur de vous mais aussi avec vous-mêmes. Soyez Vrais et peu à peu, en vous acceptant, en vous aimant, vous dissoudrez les points de rouille qui entravent encore votre marche car vous apprendrez à faire connaissance avec vous-mêmes. Il n'y a rien de difficile dans ce que je dis ici, mais votre mental le traduira d'une manière plus complexe, jusqu'au jour où ne pouvant plus vous raccrocher à aucune connaissance établie, à aucun repère habituel, vous serez nus face à vous, seuls.

Là, à ce moment précis, vous saurez que vous vivez dans le corps du Divin, que vous respirez des particules du Divin, que chacune de vos cellules se nourrit de ce Divin et que ce Divin, c'est aussi et complètement Vous. Alors viendra le moment tant attendu de l'Union. Alors, viendra l'Instant Sacré où vous ne *ferez* plus, parce que vous Serez... »

Le petit être s'est tu et cette fois les douze personnes d'un geste de la main gauche placée au niveau du cœur nous sourient en signe d'adieu.

« Ils vont continuer et prendre certaines décisions essentielles pour lesquelles ils ont besoin d'être eux seuls, me souffle Sumalta. Contrairement à ce qui se passe sur Terre, les décisions se prennent à l'unanimité et à main levée car personne ne craint d'être jugé. »

Chapitre 14

Nourritures subtiles

Je suis Djarwa et Sumalta qui, tendrement enlacés, se dirigent vers de longues tables installées sous des arbres couverts de fleurs. Le Sage, à mes côtés, vêtu d'un long vêtement bleu nuit, m'accompagne auprès de ce que je pense être un buffet.

Au loin, la lumière orangée du ciel prend des nuances d'aube terrestre, baignant la scène d'une atmosphère irréelle.

Il y a un groupe de personnes auprès des diverses tables dressées çà et là, sous des arbres semblables à des amandiers et à des pommiers en fleur. Ces personnes semblent attendre quelque chose ou quelqu'un, et leur regard se dirige régulièrement dans une même direction, bien au-delà de nous.

Les tables sont dressées avec goût et les plats colorés me donnent envie d'essayer ce qui pourrait être d'un goût totalement différent de ce que je connais déjà. Dans de grandes carafes semblant faites d'un cristal très fin, différentes boissons sont proposées. Je me décide enfin pour l'une d'elle, d'un rose léger, au parfum de freesia.

« Il s'agit bien d'une eau de fleur et bien qu'elle soit inconnue sur terre, son parfum est proche de celle à laquelle tu penses. Ici, certaines d'entre elles nous offrent leurs pétales de la même façon que des êtres offrent leur savoir pour aider ou pour guérir. En s'offrant ainsi, elles proposent leur appui en apportant des propriétés qui leur sont spécifiques. L'une a une utilité pour le calme de l'âme, une autre secoue la torpeur de certains et dissipe les brumes de la conscience, d'autres encore activent les fonctions de nos organes. Sur Terre aussi il y a des plantes qui collaborent de cette façon, mais vos organismes demandent parfois les parties les plus denses de ces plantes pour en retirer des bienfaits. Ici, ce n'est plus le cas. Nous ne coupons pas, nous n'arrachons pas. Ce sont les *entités plantes* qui offrent leurs pétales pour que, tour à tour, baignant dans une eau limpide, elles reçoivent l'influence des différentes planètes qui nous entourent ainsi que de nos Lunes et du Soleil. Certaines vont nécessiter plus d'influences planétaires que d'autres, et ce n'est qu'en communiant d'âme à âme avec la plante que nous le comprenons.

Lorsque la symbiose est totale, alors une alchimie commence et ne s'achève qu'au moment où les pétales ont offert tout ce qu'ils possédaient ; ceci peut prendre de quelques jours à quelques semaines et parfois quelques mois… Le liquide recueilli alors est déposé dans l'une des carafes de cristal que tu vois et servi le jour même. Ici, l'âme de la plante donne une couleur et une odeur caractéristiques, qui cependant sur Terre vous sembleraient incolores et inodores tant la pesanteur de la planète est grande. Des dessins ou plutôt des formes, vont dynamiser l'ensemble et apporter des éléments complémentaires lorsque cela s'avère nécessaire. Le simple fait d'inscrire ou de visualiser le symbole dans la cruche de cristal pendant quelques instants suffira à créer une action car nous avons une certaine habitude en ce qui concerne les visualisations. À la suite de cela, chacun choisira sa boisson en fonction de la couleur et de l'odeur qui s'en dégage, et crois-moi, chacun prend à coup sûr ce qu'il y a de meilleur pour lui à ce moment-là car ici, l'intuition est une qualité que l'on cultive quotidiennement et depuis l'enfance. »

Sumalta s'est maintenant tue me laissant à mes réflexions et à mes choix. Perplexe, je regarde notre ami le Sage qui semble absorbé dans une profonde réflexion. Percevant sans doute mes pensées, il lève les yeux dans ma direction et son visage s'éclaire d'un merveilleux sourire.

« Je viens de recevoir une communication de ceux qu'attendent les êtres ici rassemblés. Ils viennent de bien au-delà de notre système solaire et s'excusent de leur retard, dû à une réunion de la plus haute importance qui vient de se tenir chez eux. La guerre des étoiles n'est pas un roman de science-fiction et il est urgent de traiter certains points qui pourraient devenir des conflits.

Nos *problèmes* n'ont rien à voir avec les petites interventions sur lesquelles vous butez quotidiennement, dans lesquelles vous vous noyez facilement et qui entravent régulièrement votre marche. Non, pour la plupart d'entre nous, ce qui est du domaine personnel ou même karmique est depuis longtemps résolu.

Pourtant, même si cela se situe à un niveau bien différent, nous avons encore des équipes chargées de faire régner l'entente et la compréhension entre nos différentes planètes. »

Ces derniers mots ne me laissent pas indifférente et tout à coup, c'est comme si une partie de mémoire se réactivait chez moi. Je vois sur l'écran de mon âme, défiler des scènes de voyages interplanétaires, de réunions pour arriver à des accords, auxquels je participe et où je suis moi, sans être moi… Tout se brouille dans ma tête puis s'estompe.

Le Sage à mes côtés se contente de sourire :

« Il est dans la Vie des zones cachées qui parfois se réveillent sous une impulsion, un peu comme si une clé se tournait. Il n'est pas utile de tout comprendre pour que la route continue plus belle encore ; il est simplement essentiel de conclure un pacte, une Alliance entre soi et Soi, ce que l'on a été et ce que l'on est toujours, ce que l'on voudrait être et ce que l'on montre de soi, les masques dont nous nous sommes recouverts pour donner l'illusion d'exister et nous-mêmes. Cette alliance-là ne demande pas un savoir mais une compréhension de Soi. Non pas un cumul de connaissances quant à nos vies antérieures qui sont encore des masques et des masques, mais la Connaissance Majeure : celle qui ne veut rien parce qu'elle

Est tout, celle qui ne demande pas parce qu'elle sait. Elle sait que sans ce profond accord, sans cette alliance avec nous-mêmes, il ne peut y avoir d'alliance profonde à l'extérieur de soi. »

Sur ces mots le Sage m'entraîne vers les plats plus attrayants les uns que les autres. J'en remarque certains composés de pétales de fleurs, de graines que je ne connais pas, mais aussi de grandes jattes semblant contenir un aliment qui ne m'est pas inconnu. J'hésite un peu devant l'un d'eux rempli de graines dorées, jaunes et bleues.

« Est-ce bien le maïs que nous trouvons sur Terre ? »

Un Être blond qui se trouve à cet instant près de moi entend mon interrogation.

« Lorsque nous sommes venus à différents moments de la Terre visiter cette planète et lui proposer notre aide, nous avons également apporté avec nous certaines graines permettant à des peuples d'avoir une nourriture riche en multiples éléments. Nous pensions qu'ainsi les peuples les plus démunis auraient à leur portée un aliment facile à cultiver, ce qui pourrait éviter l'injustice de la malnutrition, et la guerre pour la survie qui nous semble un tel rempart, un tel obstacle à l'avance de l'humanité terrestre ! C'était cependant sans compter avec l'aptitude de certaines personnes à créer des différences pour y asseoir leur pouvoir…

Les abeilles et leur miel viennent aussi de nos planètes car là également cet aliment lorsqu'il est recueilli et préservé dans toute sa pureté, procure une nourriture de qualité pour la régénération de tous les organismes. »

L'être me regarde et après quelques instants il continue :

« Le nectar de fleurs que tu peux voir dans les carafes est souvent agrémenté de miel. Nous connaissons trop les grandes Lois de la Vie pour ne jamais avoir envie de détruire une vie quelle qu'elle soit à des fins personnelles. La Vie est Sacrée, et nul n'est autorisé à l'utiliser sans en subir un jour ou l'autre le contrecoup. L'impunité n'existe pas, mais la punition telle que vous la concevez sur Terre non plus. Personne ne punit personne, les lois sont ce qu'elles sont. Les contourner ou les contrecarrer ne peut être que momentané. Je ne parle pas bien sûr des lois humaines, mais des Grandes Lois de l'Univers.

Ici nous n'éprouvons aucun plaisir à nous nourrir de mort, mais il ne s'agit aucunement de faire de la morale ; sache simplement que la mort engendre la mort, de même que la violence engendre la violence. Regarde sur ces tables : il y a de nombreux plateaux comportant des fruits tellement variés que tu ne peux donner un nom à la plupart. En fait, notre nourriture est très simple ; nous vivons de ce que nous pouvons cueillir, car ce qui se cueille est pour nous un don de la Vie à la Vie. Nous ne coupons pas, nous n'arrachons pas, mais nous semons de nos petits véhicules, des graines qui se planteront d'elles-mêmes aux endroits les plus propices à leur croissance.

Notre nourriture est essentiellement faite des particules de vie qui circulent à travers l'air que nous respirons. Certains parmi nous ne vivent d'ailleurs que de cela. Le miel, le maïs et les fruits, ainsi que les pétales et tout ce qui se cueille, peut cependant contribuer à notre alimentation, que ce soit pour le plaisir de l'échange qui se fait entre le guide ou le Déva de la plante et nous, pour le plaisir plus simple des sens ou par nécessité de capter une qualité à travers le fruit qui s'offre ainsi à nous.

Regarde attentivement la façon dont les abeilles se comportent... Elles travaillent, mais sont prêtes à offrir ce qui est le fruit de leur labeur, car la joie les habite, une joie profonde et sans arrière-pensée.

Sur votre Terre, tirer le maximum de profit de ce qui vit semble être la priorité de certains... c'est ce que vous nommez *exploiter*. Ce terme, qui est inconnu chez nous et dans tous les mondes qui sont semblables au nôtre, est ce qui fait de la Terre une planète aux couleurs tristes ; mais nul ne peut aller contre les lois de l'Amour sans un jour subir les conséquences du non-Amour. »

L'être qui est à mes côtés s'est arrêté et je regarde les plats sur les tables dressées avec goût. Je remarque simplement qu'il n'y a pas de *légume racine*, d'ailleurs il y a peu de légumes tout court ou alors je ne les reconnais pas...

« Cueillir n'est pas arracher et cette différence m'apparaît plus évidente encore. »

Perdue dans mes pensées, je sursaute aux cris rauques qui, soudain, parcourent l'espace. Deux grands oiseaux aux ailes d'un blanc irisé volent dans le ciel jaune orangé à quelques mètres au-dessus de nous. Le spectacle est d'autant plus étrange, que jusqu'à présent je n'avais vu que de rares représentants de l'espèce animale depuis mon arrivée ici. Je crois entendre dans le bruissement de leurs ailes comme un murmure :

« Les voici, les voici... Ils arrivent, ils arrivent..., semblent-elles nous dire ! »

Leur vol lent et majestueux est un spectacle à lui seul, mais le silence qui suit leur passage est étrange de consistance, de densité. Les deux grands oiseaux viennent tout juste de quitter notre champ de vision lorsqu'un souffle parcourt l'assemblée, un murmure de contentement, de joie, après une longue attente.

Je ne perçois toujours rien en dehors d'une brume vaporeuse qui se densifie peu à peu. Lorsque tout à coup, là, au bout de quelques instants, devant l'assemblée en attente, je vois peu à peu se matérialiser trois grandes silhouettes dont l'émanation suffit à imposer un immense respect. Non pas un respect dû à la peur, non, ce respect-là est dû à l'amour qui se dégage des trois êtres. Pour l'instant, je ne pourrais décrire aucun d'entre eux tant ce qui se manifeste est changeant, mobile à souhait, impalpable.

Les trois grandes silhouettes avancent et leurs pas semblent simplement effleurer le sol plus qu'ils ne le touchent. Leurs manteaux ou vêtements, d'une fluidité inconnue, suivent avec grâce chacun de leurs mouvements. Tout est tellement mobile que leurs corps eux-mêmes me font davantage penser à des énergies, à des flammes en mouvement qu'à des corps en déplacement.

Mon ami le Sage à nouveau près de moi, apporte un éclairage particulier au spectacle qui se déroule devant moi :

« Ces êtres viennent d'une planète lointaine très proche du soleil. Ils font partie des peuples solaires et il leur est plus difficile, bien que ce mot soit inexact à leur niveau, de densifier leur âme pour la rendre perceptible à tous ceux rassemblés ici.

S'ils sont ici, c'est parce que la planète et ses habitants sont en mesure, intérieurement, de les recevoir. Dans le cas contraire, leur énergie désintégrerait tout ce qu'elle approche tant elle est puissante.

— Cela signifie-t-il qu'une énergie aussi belle soit-elle, ne peut se manifester sans problème auprès de ceux dont les vibrations n'ont pas au moins atteint un certain niveau de transparence, me risquai-je à demander ?

— C'est cela, et le mot *transparence* est parfaitement choisi. En effet, une énergie qui se densifie a une émission autour d'elle sur des kilomètres, et plus il émane d'elle des capacités puissantes, que ce soit d'Amour ou autre, et plus elle imprime ses vibrations à la matière et à tout ce qui vit. Bien sûr, et il s'agit d'une loi tout à fait physique, cela ne peut se faire sans risques. Ce serait comme mettre un courant inapproprié dans une machine qui fonctionne à un voltage plus faible... Seules, la transparence et la fluidité d'un être permettent un contact de cette sorte sans dommage.

— Alors, même votre venue physique sur la planète Terre pourrait provoquer ce bouleversement dont vous me parlez ?

— C'est exact et c'est pour cela que nous n'apparaissons qu'à certains endroits, et à certaines personnes que nous avons préparées à notre venue, que cela soit conscient ou non chez elles. Nos passages sont rapides et épisodiques, et si cela se prolonge, nous faisons en sorte d'adapter nos vibrations au type de contact prévu ou souhaité. Ouvrir des portes intérieures alors qu'un être ne s'y est pas préparé, peut être à l'origine de bien des désagréments ! Cela pourrait être comparé à une implosion, à un tremblement de terre intérieur où toutes les données seraient mélangées.

Je ne parle pas ici de ceux des nôtres qui s'incarnent sur la planète Terre d'une manière ou d'une autre, et pour un temps plus long... je considère uniquement les contacts directs. Tu remarqueras d'ailleurs que la plupart du temps, lors de ce type de rencontre, les êtres venus d'ailleurs ne permettent aucun contact physique ni aucune proximité trop grande avec les hommes de la Terre, afin d'éviter ce genre de problème. De petits appareils, de petits boîtiers aident, par l'onde émise à cet effet, à garder une certaine distance salutaire pour tous. C'est une question d'ouverture de cœur ! »

Tout paraît si simple, dit en cet instant et par cet être que je me demande comment nous parvenons à rendre nos vies si compliquées ! Je pense aussi à tous ceux qui sur Terre, là-bas, attendent avec espoir – et peut-être impatience – la venue d'un Christ pour éclairer l'ombre autour de nous, en pensant *qu'après*, tout sera résolu ! Et je me dis, tout au fond de mon cœur que personne ne viendra ouvrir à notre place les portes de notre cœur.

Je sais à cet instant précis et avec certitude, que le Christ tant attendu est aussi bien en nous qu'au-delà de nous, et que si nous voulons profondément sa venue il nous faut la préparer en cessant de nous mutiler, de nous séparer, de nous détruire.

Autour des trois êtres de lumière qui se sont arrêtés, je ne vois plus qu'une brume étincelante.

« Regarde plus attentivement, me dit le Sage qui suit le cours de mes pensées ! »

En effet, plus je regarde et plus je distingue dans ce qui me paraît être une brume, de petites particules dorées qui virevoltent et illuminent les trois silhouettes.

« Ce sont des particules semblables aux particules de prâna, mais avec une dimension supérieure encore à celle que vous connaissez sur Terre. Elles ont bien plus de 144 000 types de vibrations différentes et elles expriment une autre facette de ce que vous pourriez nommer Divinité ou Grand Tout. Elles nourrissent ces êtres en permanence et émanent d'eux également pour redonner énergie de Vie à tout ce qui les entoure. C'est un magnifique exemple d'échange continuel de la vie envers la Vie, un exemple que nous essayons tous d'atteindre, chacun à notre manière. »

Le Sage fait une pause avant de reprendre :

« L'échange est d'ailleurs l'un de nos principes majeurs de fonctionnement. Comme tu as pu le remarquer lors de tes déplacements ici, nous n'avons aucune grande ville, aucune mégalopolis ni immeuble aux multiples étages. Nos lieux de vie sont au contraire semblables à des villages, si l'on voulait comparer avec les habitations de la planète Terre, et ces villages connaissent une autonomie qui implique en même temps un fonctionnement communautaire. Je m'explique : les familles vivent chacune dans une maison correspondant aux choix et notions esthétiques de leurs *propriétaires*, bien que ce mot soit inexact, puisqu'ici personne ne revendique une propriété quelle qu'elle soit... Les habitants de ces villages se regroupent par affinités et non par obligation, et leur rythme de vie est ce qu'ils en font. Les repas peuvent ou non, être pris en commun, mais là encore toute liberté est laissée à chaque être, car ici la notion de liberté est un peu différente de celle que vous recherchez sur terre.

— Je sais qu'il en existe plusieurs formes, et que depuis toujours les peuples de la Terre se battent pour l'obtenir ainsi que des droits qui leur paraissent essentiels. Y a-t-il tellement de différences entre les libertés d'une planète et celles d'une autre ? »

Devant ma perplexité le Sage m'offre un sourire d'une telle limpidité et d'un tel éclat que sa réponse m'apparaît avec clarté avant même qu'il ne la formule :

« Il est une phase indispensable de la croissance, où un être se doit de se secouer l'échine pour se libérer de tout ce qui lui paraît l'entraver. Je dis *ce qui lui paraît* tout à fait volontairement, car en fait les contraintes extérieures sont dérisoires par rapport à ce qu'un être humain est capable de s'imposer comme chaînes et comme bagages inutiles. Nous avons depuis longtemps compris cela, et peu à peu, nos révoltes se sont transformées en mutations intérieures. Un jour est arrivé où nous avons réalisé que même si nous changions les lois, les dirigeants, et tout ce qui paraissait freiner notre avance, rien ne changerait si nous gardions en nous, dans notre âme, dans notre cœur, les mêmes entraves. Vos Sages parlent souvent des prisons intérieures,

220

et peu à peu vous réalisez que la Liberté se fait avant tout à l'intérieur de Soi, pour qu'elle puisse ancrer de solides racines dans la matière, et s'avérer efficace au quotidien. Le principe est toujours le même... Le subtil est premier, et si vous réussissez à créer la Liberté en vous, alors, et à cette seule condition, elle se concrétisera dans la matière, non pas comme une illusion de plus pour laquelle l'homme s'épuise en continuelles revendications, mais comme des actes solides et durables.

Les fragilités de vos lois, de vos libertés, sont dues au fait que vous collez à l'extérieur de vous des idées et des concepts dans lesquels vous croyez, certes, mais que vous n'appliquez pas en vous. *Tant que cette division existera, aucune révolution extérieure n'aura de racines dans la matière...* Les uns prendront la place des autres, les *libertés* changeront de camp, mais en réalité rien ne changera en profondeur. Ici, nous n'avons pas de prisons, car les lois que nous suivons sont les Grandes Lois Cosmiques et celui qui les enfreint est le seul à en subir les conséquences. Les lois faites par les hommes sont des lois semblables à des armures pour se protéger d'un monde où les Lois de l'Univers ont été depuis longtemps oubliées, mais elles ne pourront se perpétuer ainsi. Juger, condamner n'est pas du domaine des hommes. Établir des règles de communauté pour une bonne marche générale est nécessaire lorsque l'Humanité n'a pas atteint l'âge adulte. Sur notre planète et sur toutes celles de l'Alliance, seuls les différents Conseils de Sages peuvent, à ce jour, nous aider à prendre les grandes décisions dans les domaines plus vastes, planétaires ou interplanétaires, mais jamais ils n'interviennent dans notre quotidien où nous sommes seuls, avec notre cœur, pour savoir ce qui est juste pour nous.

Ainsi l'agressivité, la colère, le rejet, ne sont plus des éléments que nous manipulons pour manipuler les autres. Nous n'avons rien à prouver, rien à démontrer, rien à conquérir à l'extérieur de nous et crois-moi, il est bien plus ardu mais aussi combien plus fabuleux d'aller à la conquête de soi-même que de quoi que ce soit d'autre ! »

Mon ami s'est tu et je ne peux m'empêcher de penser aux paroles de notre sage, Socrate : *Connais-toi toi-même...* reprise du fronton de Delphes. Combien cela est vrai, et combien peu de temps accordons-nous à cette connaissance de nous-mêmes !

Autour de moi, je m'aperçois tout à coup que l'assemblée a disparu. Les Trois grands êtres ne sont plus là, et seules les tables encore dressées restent le garant de la manifestation précédente. J'aurais voulu bénéficier encore de leur présence et mon cœur est un peu triste, lorsque m'entourant les épaules de son bras, le Sage m'entraîne vers un petit véhicule en stationnement non loin de là.

« Sois sereine, tu reverras ces êtres avant ton retour vers la Terre. Pour l'instant ils donnent un enseignement particulier. Quant à nous, nous n'avons pas fini de parler de l'échange, n'est-ce pas ? »

Je souris à ces mots et à ma réaction un peu enfantine. En effet, ce que je vois, ce que j'entends est déjà un magnifique cadeau !

« Sur la planète Vénus, ainsi que sur la plupart des planètes environnantes, il n'y a pas de système monétaire ni de circulation d'argent. Tout est basé sur l'échange. Chacun en effet, a des aptitudes diverses, un savoir-faire qui lui est propre et qu'il met à disposition de la communauté. Les communautés sont réduites, ce qui facilite l'application d'un tel principe. Sur Terre, vous avez des tentatives qui pourraient aller dans ce sens, mais l'avidité, l'orgueil, sont des obstacles à la bonne marche de ces essais. Ici, chaque travail fourni est équivalent à n'importe quel autre et celui qui enseigne n'a pas plus de prépondérance, ni moins, que celui qui soigne ou celui qui construit. Ainsi la monnaie d'échange pourrait être aussi bien des coquillages que des pièces ou n'importe quoi d'autre, cela ne poserait aucun problème supplémentaire car ce type d'échange n'est aucunement basé sur une valeur illusoire et momentanée. Il y a aussi échange de matériel selon les besoins et non selon une valeur fictive qui varie d'un instant à l'autre. Pense simplement à l'eau : dans un pays où elle coule en abondance, elle n'aura aucune valeur alors que dans un désert la moindre goutte est précieuse. L'évaluation est une création des hommes qui ne dépend que de données extérieures. Pour un être humain malade, le thérapeute sera plus précieux que le véhicule. Estimer et donner une valeur est un moyen de pression pour maintenir des êtres sous la dépendance d'autres, mais là aussi, les habitants de la planète Terre ne pourront continuer ainsi à surévaluer leurs besoins et leurs biens. L'Échange tel que nous le concevons, ne peut exister que dans une société adulte où une grande partie des nœuds intérieurs et personnels a été résolue. Dans le cas contraire, l'idée de cet échange restera une utopie, car le système établi sera davantage le lieu de réso-lution de conflits qui empoisonneront ce type d'économie dans son bon fonctionnement.»

Le petit véhicule survole à vive allure des espaces verts et des vergers en fleur. Des êtres, çà et là, nous font des signes amicaux. Ils sont occupés à cueillir des fruits, et de petites machines à leurs côtés s'emploient à recueillir déli-catement et à déposer dans un coffre le résultat de leur cueillette. Les êtres dirigent le bras des engins et veillent dans une bonne humeur évidente à la bonne marche de l'ensemble.

Nous traversons de petites bourgades aux maisons arrondies et chaleureuses, pour enfin nous poser sur les bords d'un lac au bleu transparent et limpide.

Chapitre 15

Écologie Interplanétaire

Le tapis couleur mousse qui entoure le lac est une invitation au repos que nous accueillons avec joie. Aux alentours, tout est vert. De douces collines aux arrondis paisibles, de vastes espaces d'herbe moelleuse nous procurent un calme régénérant. Non loin de nous, trois grands véhicules sont déjà là et des personnes, une dizaine environ, semblent s'activer autour d'eux. Leurs vêtements semblables à des combinaisons fluides, mais près du corps, sont de couleur orangée et les ceintures sont toutes munies de boîtiers assez gros que je n'ai encore jamais vus.

Une partie de l'équipe se dirige vers l'eau du lac munie de récipients vitrés, alors que le reste des hommes semble surveiller le bon fonctionnement des boîtiers de leur ceinture. Tout à coup, un rayon aveuglant part de l'un des boîtiers pour se diriger vers l'eau du lac et revenir vers la boîte transparente que l'une des personnes vient juste d'ouvrir et de déposer sur l'eau. Je ne comprends rien à tout cela et j'attends que mon compagnon veuille bien m'apporter quelques explications.

« Viens et approchons-nous de ces personnes ! Je pense que ta curiosité pourra être satisfaite. »

Le groupe nous accueille avec beaucoup de gentillesse et je perçois dans leurs gestes et leurs paroles un grand respect pour mon Guide. Comme à l'habitude mes questions non formulées sont entendues et captées, mais maintenant je ne m'en étonne plus !

Un être semblable aux autres mais avec une intensité et une autorité dans le regard et dans la voix qui m'étaient inhabituelles jusqu'ici, prend la parole :

« Sois la bienvenue parmi nous ! Ce que tu vois ici mérite sans doute quelques explications et je me propose de répondre à ce qui pourrait t'éclairer en ce sens, mais je me présente : je suis à la tête de cette équipe car ma spécialité est le nettoyage ou si tu préfères, le recyclage de tout ce qui pourrait polluer notre planète. Là-bas, sur la planète bleue, les eaux sont polluées, les déchets sont immergés en eaux profondes et n'attendent que de ressurgir, les centrales nucléaires sont fissurées ou le deviendront, certaines espèces végétales disparaissent peu à peu, la couche d'ozone ne protège plus rien et nous continuons avec inconscience à produire des matières non recyclables en pensant qu'un jour quelqu'un trouvera bien une solution... »

Nous sommes debout devant l'étendue bleue de ce grand lac transparent où la vie semble foisonner partout et je m'apprête à écouter attentivement ce qui va m'être dit à ce sujet :

« Je sais que ton cœur est lourd, mais cela ne pourra être d'aucune utilité et ne fera qu'alourdir encore plus ce qui se passe sur Terre. Tu le sais, ton travail n'est ni de t'appesantir sur des faits, ni de juger, mais d'agir sans jamais perdre le But. Agis sans jamais réagir, car cela donne de la force à ce qui t'entrave ou ralentit la marche de la planète terre. Réagir, c'est agir en fonction de faits ou de personnes et non en fonction de son cœur. Dans la réaction il y a la vanité, l'orgueil, le vouloir gagner qui nous accompagnent, et souvent un peu d'agressivité, de colère envers ce qui se trouve face à nous, que ce soient des êtres ou des événements.

Agir, c'est garder le But en suivant la voie de son cœur : non pas de ses émotions, mais de l'Amour, sans que l'action de l'autre puisse nous contrarier dans cette marche. Bien sûr, nous ne voyageons jamais seuls et l'autre, cet autre nous-même, a une incidence ne serait-ce que matérielle ou physique sur ce que nous faisons, mais dans l'agir il n'y a pas de jugement, pas d'émotivité. Il n'y a que l'Amour et Nous, face à ce que nous voulons et à ce que nous ne voulons pas.

Regarde plutôt derrière toi... »

Je me retourne aussitôt pour découvrir à quelques centaines de mètres de nous une étendue sombre à laquelle je tournais le dos. Une longue et large bande d'eau noire et huileuse s'étend sur des kilomètres derrière les collines et les champs.

« Nos mers sont votre pétrole et cette matière qui a eu son utilité il y a bien longtemps est aujourd'hui régulièrement transformée en eau limpide semblable à celle que tu vois dans le lac. À l'aide d'instruments qui décomposent le son et la lumière, nous utilisons conjointement des particules semblables à votre hydrogène et à votre oxygène pour purifier et régénérer toute forme de liquide qui serait inutilisable sans cela. L'eau, la terre, sont ici à un autre niveau vibratoire que sur la planète Terre, aussi est-il difficile de comparer d'un point de vue scientifique ce que nous utilisons : mais il y a des lunes et des lunes, avant que notre planète ne passe sur ce plan plus subtil, nous avons connu des phases de pollution qu'il nous a fallu résoudre aussi. Actuellement sur Terre, vous avez toutes les connaissances ou presque, pour procéder à l'assainissement de vos mers et de votre Terre. Seuls quelques êtres veulent garder le secret, afin de ne sortir cette connaissance qu'en dernière limite pour asseoir leur pouvoir et leur domination. Soyez vigilants et ne vous laissez pas berner par de fausses informations !

Sur notre planète, tout est transformé, transformable... Notre nourriture est bien différente, tu as pu le constater, de celle qu'ingèrent les êtres de la planète Terre. Cela a pour effet de créer un minimum de déchets à l'intérieur de nos organismes qui se régénèrent avec beaucoup plus de facilité. Tout ce que nous absorbons est presque intégralement utilisé et aucune déjection n'est utile. Nos organismes sont préparés à ne prendre que ce qui leur est nécessaire et l'écoute, la connaissance de nous-mêmes, nous aide en ce sens depuis notre naissance.

Pour tout ce qui est créé à l'aide de notre pensée, c'est-à-dire une grande partie de ce dont nous avons besoin, lorsqu'il n'y en a plus la nécessité, la création se dissout, et chaque élément un peu plus dense qui la compose, retourne à l'élément primordial dont il est issu. Ainsi, le cristal rejoindra l'élément minéral, la terre l'élément terre et ainsi de suite, mais pour cela il est indispensable que nos créations ne contiennent que des éléments issus de la matrice première.

Sur Terre aussi, tout est transformable si vous le voulez ainsi, et un jour qui n'est pas si lointain, vous regarderez avec étonnement tous les matériaux coûteux et inutiles que vous avez si longtemps crus indispensables et qui étaient à la base de nombreux éléments de vos vies.

Aujourd'hui, nous sommes en communication avec des hommes de la planète Terre afin de permettre une mise en œuvre efficace de ce qui pourrait être réalisé, pour permettre au monde animal et végétal de croître, sans danger pour le corps de votre mère la Terre. À l'aide de vos astres tels la lune et le soleil, avec les propriétés des couleurs, des sons et des formes, avec la force de votre Amour et de votre souffle, vous pourrez réaliser cela si vous le voulez vraiment, c'est-à-dire si vous êtes prêts à renoncer un temps à ce que vous jugez indispensable aujourd'hui. Il n'y a aucune notion de sacrifice dans ce que je dis là, simplement une question de bon sens qui devient, sur Terre, plus indispensable que jamais. Vous devez actuellement réfléchir au fait qu'un jour, vous devrez pour un certain temps vous passer de ce qui fait de vous des prisonniers d'un confort illusoire. Ceci n'est pas une punition de quoi que ce soit, mais une étape qui paraît indispensable à une prise de conscience qui ne peut se faire que par l'expérience vécue que l'on en a.

Je ne souhaite pas m'étendre davantage sur ce sujet car une prévision restera toujours une prévision tant que sa réalisation n'aura pas eu lieu. Le futur sera, d'autres te l'ont déjà dit, uniquement ce que vous en ferez et les prédictions ne sont pas les éléments avec lesquels nous avançons. Chaque expérience est unique, chaque planète a ses propres lois et avance selon le rythme de son propre cœur uni à celui de ses habitants. Chaque être, chaque planète, chaque particule de vie est à la fois unique, indispensable, et pourtant reliée au Tout. C'est en ce sens que la Vie, sous toutes ses formes, sous tous ses aspects, en quelque lieu que ce soit, est à aimer et à respecter car c'est ce qu'il y a de plus beau en chacun de nous.

N'oubliez pas cela... Vous n'avez plus de temps à perdre dans des considérations qui vous font oublier le But ! »

« Voilà plusieurs fois que tu me parles du But mais quel est-il pour toi, au juste, puisque tu ne m'en donnes aucun détail ? »

L'être sourit et comme dans un éclat de rire j'entends :

« Le But ! Ce n'est pas à moi de t'en parler mais il est si simple et si facile à trouver que vous le cherchez partout, sans jamais le découvrir vraiment ; c'est la seule chose que je peux dire le concernant... mais viens avec nous, j'ai encore autre chose à te faire découvrir. »

Sur un signe de mon ami, nous reprenons notre petit véhicule tandis que l'être qui me parle prend place à nos côtés. Nous atteignons quelque temps plus tard, l'entrée d'un bâtiment semblant construit de cristal et de marbre blanc. La beauté qui se dégage de l'ensemble aux proportions inégalées est à couper le souffle ! Notre véhicule stationné, nous pénétrons dans une salle presque comparable à une salle de cinéma ultramoderne : un sol irisé et translucide accueille des *fauteuils coquille*, mobiles, tandis que sur les murs je devine un immense écran, presque invisible, qui fait le tour de la pièce. Le plafond est du même matériau que le sol et lorsque je prends place, j'ai aussitôt la sensation de flotter dans un espace vide et sans fin. Cette drôle de sensation provoque un vertige inhabituel, durant lequel je ne sais plus très bien si je suis encore dans un lieu précis, ou en dehors de tout. La lumière, très douce, contribue davantage encore à créer cette sensation hypnotique que j'éprouve alors.

J'attends, lorsque tout à coup, au bout de ce qui me paraît n'être que quelques instants, je me retrouve dans une scène étrange où je ne suis que spectatrice.

Autour de moi, sous moi, au-dessus de moi se déploie un étrange paysage. Des champs sont inondés, des forêts détruites, des arbres déracinés, des bâtiments eux-mêmes semblent sur le point de s'écrouler. Le paysage apocalyptique continue de défiler sans que j'aie fait le moindre pas. Cette fois, des bords de mers sont détruits, des bateaux éventrés sont échoués sur les rivages et partout, partout, des êtres hirsutes, l'air hagard, hébétés, abattus marchent vers je ne sais où, je ne sais quoi.

Eux-mêmes le savent-ils ? J'essaie en vain de sonder leurs pensées mais je ne trouve rien : du vide, du vent. De toute façon ils ne me voient pas et je continue à regarder ce spectacle de désolation, me demandant ce qui pourrait advenir de tout cela ! Je suis maintenant au milieu d'hommes en blouse blanche qui semblent dépassés par le nombre de personnes qui viennent vers eux pour leur demander de l'aide. Ils sont démunis, sans matériel, sans instruments, sans rien d'autre que leurs mains dont ils ne savent comment se servir. Des plans d'eau croupissent çà et là, et des hordes d'humains s'y précipitent pour recueillir quelques bidons de ce liquide infect, en vue de le purifier à l'aide de filtres que quelques-uns gardent jalousement. Sur les bords de ce qui dut être autrefois des routes, des humains et des animaux décharnés se couchent et meurent d'épuisement, de maladie, de peur, de désespoir. Je ressens les peurs et les souffrances, mais en même temps et curieusement elles glissent sur moi sans m'atteindre. Cette étrange sensation me rend pensive : suis-je devenue insensible, ou s'agit-il là d'autre chose que je ne comprends pas encore ?

Je sens tout à coup une pression sur mon bras ; c'est l'être qui nous accompagne dont le geste a pour effet de me ramener aussitôt au fauteuil dans lequel je me suis assise.

« Sois sans inquiétude, ce n'est pas ta sensibilité qui s'en va. Tu es simplement passée dans un des scénarios possibles du futur de la Terre, créé par la pensée de certains de ses habitants. Ce scénario est soigneusement entretenu par ceux qui aimeraient posséder la Terre et les humains. Il est même parfois induit avec tant de force qu'il se concrétise chaque jour un peu plus. Ce n'est pas un scénario impossible, et il le sera si votre monde continue sa marche dans l'engourdissement qui est le sien aujourd'hui, mais tout permet de penser qu'un réveil se prépare, un réveil qui comme un raz de marée bénéfique gagnera la planète entière !

Alors, peu à peu, tout ce qui vit sur Terre va s'éveiller à d'autres réalités, et la torpeur qui régnait en vos cœurs va se dissiper pour laisser place à un immense Soleil, celui qui dort depuis si longtemps au fond de vous et que vous aviez oublié ! La planète Terre, ou plutôt ses habitants, sauront alors que la raison, la science vont bien au-delà des limites qu'ils se sont imposées jusqu'alors, et que les lois humaines qui emprisonnent sont bien loin des Lois Cosmiques qui libèrent. Lorsque le voile épais qui entoure la planète sera déchiré par l'élan d'espoir et d'amour sans attente qui sortira des entrailles de la Terre et des hommes, alors et alors seulement, le scénario pourra s'inverser. »

L'être continue à me parler, tandis que sur l'immense écran se déroulent de paisibles scènes de nature où la beauté de l'eau, du ciel et de la Terre s'expansent à l'infini. Il me parle des différentes méthodes qui doivent être employées sur Terre afin de commencer à dépolluer et à régénérer l'eau, l'air et la Terre. Je sais qu'il est souvent question de multiplier les atomes d'hydrogène et d'oxygène, d'utiliser des appareils semblables à des tubes de cuivre avec des lemniscates à l'intérieur. Il me parle aussi de l'action du son et de celle du prâna. Je retiens de ceci que nous n'utilisons pas le prâna selon ses possibilités, que les humains n'ont fait que très peu de recherches en ce sens, et que pourtant une clé essentielle est dans ce prâna. J'apprends encore que nous ne le respirons pas à la mesure de nos capacités et que sans lui, rien n'existerait sur Terre.

L'être parle et sa voix me procure un état étrange. Il insiste sur le souffle régénérateur, sur le son et sur son utilisation...

J'entends la voix de plus en plus lointaine, de plus en plus étouffée, et je réalise que j'oublie en même temps toutes les notions précises qui me sont offertes à ce sujet. J'aurais aimé ramener sur Terre plus de précisions qui puissent permettre de réaliser des instruments de dépollution, mais je sais en même temps que ce n'est pas le but de mon voyage ni mon rôle sur Terre. Cela se fera autrement ; et pour la première fois, j'oublie... mais il le faut ainsi !

Mon ami le Sage est près de moi et son regard aimant m'enveloppe d'une onde paisible. Comme tout semble simple ici ! Pourquoi nous *amusons-nous* sur Terre à rendre tout si compliqué, si dramatique, si dur parfois ? Pourquoi sourire sans arrière-pensée est-il si difficile ? Pourquoi aimer sans rien attendre en retour, demande-t-il autant d'effort ?

« C'est une simple question de maturité, sourit le Sage en me regardant : l'Homme de la Terre apprend à retirer ses masques et ses coquilles, les uns après les autres. Aimer, sourire avec le cœur et non avec la tête s'apprend, non pas à travers les livres ou les enseignements – car ce qui reste au niveau intellectuel n'est qu'à demi appris – mais jusque dans la moindre de ses cellules. Certains des peuples de la Terre ont une phrase précise qui différencie leur état d'être.

Ne dit-on pas chez certains d'entre eux : *il pense avec la tête* ou *il pense avec le cœur* et encore *il parle avec la tête* ou *il parle avec le cœur ?...* Inconsciemment, vous connaissez la différence.

Un jour viendra où vous garderez le meilleur de toutes les traditions de la Terre, où vous tiendrez compte des plus beaux enseignements de chacun, où vous respirerez à l'unisson et ce jour-là il n'y aura plus sur Terre *des* races mais *Une* Race qui sera de la couleur de toutes les races réunies, et ce jour-là sera un jour de Joie sur Terre ! »

Mon ami s'est tu, me laissant à mes pensées. L'air est léger et c'est à pied que nous nous rendons vers notre prochaine destination. À *pied* si l'on peut dire, car j'ai la sensation de flotter, de glisser plus que de marcher. Le déplacement est fluide et assez rapide, mais me laisse le loisir d'admirer la nature qui nous entoure, les arbres fleuris qui forment une voûte parfumée au-dessus de nous, les fleurs étranges qui se penchent à notre approche en signe de bienvenue, le sol semblable à un tapis moussu que je frôle à peine, et l'air doux qui transporte avec lui les sons émis par toute cette Vie. Je suis heureuse et je suis bien ! Je n'ai que l'envie de continuer à avancer au fil de ces sensations subtiles qui me rendent plus vivante que jamais. J'écoute, et plus j'écoute, plus j'entends... C'est l'attention que je porte à ce qui m'entoure qui me permet d'en capter la Vie, la beauté. Je regarde et plus je regarde, plus je vois ! Je m'offre et plus je m'offre, plus je reçois... C'est alors que je réalise non plus avec ma tête mais avec chacune de mes cellules, combien l'attention que je porte à ce qui m'entoure est essentielle.

Tout existe sans moi d'une vie autonome, c'est évident, mais en même temps, rien n'existe pour moi si je ne lui accorde pas d'attention, c'est-à-dire d'Amour. En cet instant privilégié, je perçois d'une façon très aiguë combien la Vie peut sembler vide, absente, sans intérêt selon le regard que nous posons sur elle, quelle que soit sa richesse ; et j'acquiers la certitude que l'une des Grandes Lois de l'Univers est l'échange continuel... d'âme à âme, de cœur à cœur, de corps à corps. Au-delà de nos masques, le regard que nous posons sur ce qui nous entoure est l'une des clés de l'Amour ; c'est lui qui nous ouvre les portes, en nous et hors de nous, s'il existe un intérieur et un extérieur, ce dont je suis de moins en moins sûre. La pratique du *regard aimant* qui nous fut enseignée autrefois, m'apparaît cette fois dans toute sa réalité. Non plus une réalité d'écriture sur un papier mais palpable, vivante, tangible et... réalisable ! Permettre à chaque forme de vie que nous croisons et qui retient notre attention d'exprimer ce qu'il y a de plus beau en elle, n'est-ce pas l'un des Buts de la Vie ?

Mon interrogation reste sans réponse et je continue sur le chemin fleuri, en direction d'une maison étrangement semblable à celle de Djarwa et de Sumalta.

Chapitre 16

Couple et sexualité

À la suite de mon ami le Sage, je pénètre dans une pièce de dimensions moyennes, aménagée avec beaucoup de goût. De grandes baies vitrées faites d'un matériau semblable au cristal, nous offrent un spectacle d'une grande sérénité, tandis que des coussins vastes et enveloppants nous attendent sur un sol qui semble aussi doux qu'un épais tapis.

Les *coussins sièges* aux dessins géométriques et aux couleurs douces sont une invitation à la détente. Je me demande toutefois, à la vue des arbres en fleur, si le printemps dure éternellement ici ou si le temps change parfois. Je n'ai guère le temps de me poser d'autres questions car Djarwa et Sumalta, accompagnés d'un autre couple, s'approchent pour nous accueillir. Je suis profondément heureuse de les revoir et c'est avec joie que je prends place dans l'un des sièges qui s'offrent à moi. Le couple que je ne connais pas semble d'une extrême gentillesse et ils nous servent aussitôt dans de grands verres irisés, une boisson à base de fleurs, odorante et délicatement colorée. J'apprécie ce moment où je n'attends rien. Rien d'autre que ce qui m'est proposé, et je songe à notre façon de vouloir, d'agir, de prouver que l'on existe et qui bien souvent entrave notre véritable action.

Je me souviens d'un temps douloureux à l'extrême, où il m'était impossible d'envisager un quelconque futur, ni de rejoindre un passé déjà lointain. Le présent seul était possible et j'avançais dans cet espace-temps, un pas après l'autre, dénuée de toute volonté personnelle, de tout désir. Je faisais ce qu'il fallait selon les événements et les personnes rencontrées. Dans cet état de vacuité, je me rendais compte que l'absence de toute volonté personnelle de diriger quoi que ce soit selon mes désirs était un atout, et que tout s'accomplissait à travers moi avec bien plus de facilité et de justesse que lorsque j'y mettais toute mon énergie personnelle.

« Cette fois, nous allons aborder ensemble un point qui semble d'une grande importance sur la planète Terre, me dit Sumalta avec des yeux pétillants de malice. »

Elle fait une pause de quelques minutes avant de poursuivre.

« Le couple, la sexualité, l'amour entre deux êtres fait paraît-il, et selon vos propres termes, *couler beaucoup d'encre sur Terre*. Il paraît même que les passions, là-bas, entraînent des guerres ou des traités de paix, n'est-ce pas incroyable ? »

Je sais que l'interrogation de Sumalta n'en est pas une et qu'elle sait parfaitement ce qu'il en est. Je me contente donc de sourire en acquiesçant d'un signe de tête.

« Chez nous, continue Djarwa, ainsi que sur la plupart des planètes confédérées, la sexualité ne comporte aucun interdit, aucun tabou. Cela ne signifie nullement que nous faisons n'importe quoi, mais que tout est possible. »

Ces derniers mots ne manquent pas de me surprendre, car je connais la délicatesse, la tendresse, l'amour que sont capables de déployer de tels êtres, mais sur leur sexualité j'ai en fait peu de souvenirs ou d'éléments...

La jeune femme du couple qui nous accueille prend à son tour la parole. Sa voix, claire comme l'eau d'une source, coule en moi, fraîche, apaisante, cristalline :

« En nos êtres, en nos âmes, en nos consciences, est inscrit, depuis si longtemps que ma mémoire n'en a pas gardé le souvenir, les grandes lois qui dirigent nos corps, des plus subtils aux plus denses. Nous savons tous ce qui fait chanter nos âmes et nos corps, nous connaissons les mots et les caresses qui permettent à chaque cellule de s'ouvrir, de s'expanser et d'aimer. Durant nos nuits et nos jours, nous faisons d'étranges voyages à deux hors de nos corps, et tout en nous, sait alors que l'*autre* est la partie qui reste à découvrir de nous, à aimer, à comprendre pour atteindre une *complétude* encore jamais égalée. Pour cela il n'y a ni dogmes, ni interdits. Nos âmes et nos cœurs sont nos seuls maîtres et l'Amour seul en est la Loi ! »

La jeune femme fait alors une pause, pendant laquelle elle semble réfléchir à la suite de ce qu'elle veut me dire, puis, elle reprend avec une grande limpidité :

« L'Amour ici est différent, sur bien des points de ce que connaissent les habitants de la Terre... Il ne change pas au fil de nos émotions. Par exemple, il ne nous est pas possible d'aimer passionnément, puis de haïr quelque temps plus tard et ce, avec autant de force la même personne. Nous ne l'aimons pas parce qu'elle appartient à notre clan ou à notre famille de chair, et lorsque par une reconnaissance mutuelle, nous décidons de passer notre vie avec un être de sexe opposé, ce n'est jamais par besoin ou par nécessité.

Ce qui nous attire, nous pousse l'un vers l'autre n'est jamais un élément extérieur à nous. Cela ne peut venir ni de notre éducation, ni d'une obligation familiale, ni d'un manque intérieur que nous cherchons désespérément à combler, comme nous le constatons lorsque nous vous étudions. Nos choix ne sont dictés ni par des révoltes, ni par des contraintes; il n'y a aucune volonté de fonder un foyer pour faire comme tout le monde, ou selon telle ou telle tradition... non! cela n'existe pas ici. »

La voix de notre hôtesse se fait un peu plus nostalgique, et je crois percevoir une pointe de tristesse en elle.

« Je ne suis pas triste, mais un peu surprise lorsque j'étudie les comportements en couple des êtres de la planète Terre. Je suis étonnée du nombre de personnes qui se lient sans trop savoir pourquoi, qui s'accouplent par convention ou pour faire comme les autres et par celles, très nombreuses, qui ne sont guidées que par des pulsions momentanées. »

Djarwa, d'une voix profonde, continue :

« Nous savons bien sûr que dans tout cela il n'y a pas de hasard, et que l'âme, aussi désordonnée soit-elle, choisit un itinéraire qui lui ressemble et qui convient à sa route ; mais nous ne pouvons pourtant éviter de penser à ce que serait l'Amour des couples, si vous acceptiez un instant d'ouvrir votre cœur, et non de masquer vos manques et vos incapacités sous une apparence d'Amour.

Combien de fois regardons-nous, sur les écrans de nos salles d'enseignement ou de nos vaisseaux, des scènes de vie sur Terre, où l'autre est simplement là pour combler les besoins et les carences de son partenaire ! Ici, nous considérons cela comme une proposition d'emprisonnement qui, tôt ou tard, mène à une impasse.

Mais voyons plutôt ce qui se passe ici, car derrière l'impasse il y a toujours une issue ! »

Notre hôte qui jusqu'à présent ne disait mot, semble prêt à s'exprimer. Il est assis face à moi en lotus, ses longs membres repliés sous lui.

« Lorsque j'ai rencontré la compagne qui est avec moi aujourd'hui, il s'est passé quelque chose de très particulier. Nous étions assis tous deux dans l'une de nos salles de cours, écoutant l'enseignant qui nous proposait quelque pratique psychique, lorsque tout à coup, chacune de mes cellules s'est mise à *vibrer*. Le mot est difficile à traduire en langage quel qu'il soit, car il s'agit là d'une sensation très fine, mais celui qui l'éprouve sait exactement ce que cela veut dire.

J'avais depuis un certain temps, une affinité avec cette jeune femme et nous partagions souvent les messages de notre âme et de notre cœur ; mais cette fois, je savais qu'il s'agissait de quelque chose de très important. Le cours se déroula, et je sortis car je ne pouvais fixer mon attention suffisamment, ce qui est rare en ce qui me concerne. J'attendis avec patience que ma compagne ait fini son cours et très vite je lui fis part du message contenu dans mon cœur.

Dans son regard, je compris aussitôt que mon amour était partagé, et à cet instant précis je sentis mon cœur s'agrandir, s'élargir, s'expanser dans toutes les directions ! Cet amour nous enveloppait mais il cessait de nous appartenir : il était tellement vaste qu'il englobait tout, il *était* le Tout sans en exclure la moindre parcelle... Je ne peux parler pour mon amie, mais je sais qu'ici c'est de cette façon que nous connaissons une facette de l'Amour... Dans un premier temps, cela se fait d'une manière plus personnelle, un peu comme si chacune de nos cellules chantait puis, si cet amour est complet, il s'étend à toute forme de création et de créature !

Ne croyez pas que ceci puisse durer longtemps, non, c'est un chant qui vole avec rapidité vers le Grand Tout, pour revenir aussitôt et nourrir son destinataire en retour. C'est une Initiation Majeure et c'est Elle que nous vivons toutes les fois où notre cœur s'expanse à l'infini. »

L'être s'arrête, tandis que notre hôtesse, aux longs cheveux clairs, ajoute :

« Lorsque nous choisissons l'un et l'autre de vivre ensemble, nous sommes conscients du respect et de la liberté que nous nous engageons à préserver l'un chez l'autre et l'un pour l'autre. Mais là encore, le mot Liberté n'a pas toujours le sens que les habitants de la terre lui donnent parfois. Ici, liberté ne signifie pas agir sans l'autre, ou aux dépens des autres. Notre sens de la liberté touche plus à l'intégrité, au respect profond de ce qu'est notre partenaire et à l'Amour de la Vie. Il n'y a aucun interdit parce que cela ne nous servirait pas. Nous pouvons, ensemble ou séparément, expérimenter ce qui nous semble important pour la croissance de notre amour. Cela n'a rien d'égoïste et nous ne transgressons aucune des Grandes Lois de la Vie. Nous savons par exemple, que la sexualité sans amour laisse un être vidé de ses forces et de son âme... Nous avons étudié certains comportements humains, où l'avidité sexuelle laisse croire que la sexualité débridée est indispensable à l'évolution de l'homme.

Au risque de choquer, nous pouvons dire que c'est un passage nécessaire dans l'évolution de la planète Terre, car les interdits, les lois restrictives qui ont fait du corps physique un mal, nécessaire à l'unique reproduction, ont appelé cet état actuel où les barrières explosent enfin !

L'Homme a oublié que le corps est le temple de son âme. Il a simplement oublié que chacun des éléments de son corps est à l'image du cosmos et que l'infiniment petit est contenu dans l'infiniment grand. *Tout ce qui est en Haut est comme ce qui est en Bas...* Dans la Matière souffle l'Esprit, et l'Esprit lui-même contient une parcelle du dense. L'homme et la femme ne sont pas des opposés mais des compléments. Par l'union de leurs corps, de leurs âmes, de leurs esprits, ils créent la Vie. L'union de leur

Amour est Création, et à l'image de Dieu ils créent, quel que soit le plan sur lequel cela se fait.

La division, la séparation n'ont que trop duré sur la planète Terre, et les humains récoltent maintenant les résultats d'interdits qui ont été semés depuis des temps et des temps... Mais viendra un jour où l'Homme retrouvera la splendeur de l'Union sur tous les plans de son être ! À ce moment-là, ses créations seront de l'Amour densifié, que ce soit sur un plan physique, psychique, intellectuel ou autre, et dès ce moment, une partie des nœuds qui entravent l'avance de l'humanité prendra fin. Ce temps peut être aujourd'hui même, si vous le voulez... Mais le voulez-vous vraiment ? »

Je suis confuse et ne sais que dire ; d'ailleurs je n'ai rien à dire, tant tout cela est évident, et Sumalta me pose avec douceur et affection la main sur l'épaule, ce qui a pour effet de me détendre aussitôt.

« D'où viennent ces blocages, ces divisions, ces interdits, sont les seules questions qui me viennent à l'esprit ?

— De deux sources essentielles, me répond Sumalta dans un sourire rassurant : l'une est extérieure à l'homme et vient de très loin, d'il y a très longtemps, de l'époque où des êtres ont commencé à convoiter la planète et ses habitants. Mais pour qu'ils puissent faire régner la dualité sur Terre jusque dans l'Amour qui est Unité, il fallait que les cœurs des humains soient d'accord, ou du moins qu'en eux l'unité soit incomplète. Ces êtres de planètes lointaines savaient qu'ils trouveraient des partenaires terrestres pour appliquer et faire appliquer leurs lois de division. Ils jouèrent sur l'orgueil, la vanité, le pouvoir... Et les humains s'asservirent entre eux. Les femmes, moins fortes physiquement, furent soumises aux hommes, le sexe fut un objet tabou et donc convoité, la sexualité fut considérée comme œuvre du démon et ceux qui détenaient un pouvoir religieux inculquèrent que seule, la chasteté conduisait à l'illumination ou à la sainteté.

Le Démon n'était pourtant pas là où on le croyait. D'interdit en interdit, les humains crurent vraiment que tout ce qui touchait au physique éloignait du ciel... La séparation ainsi faite permettait alors à toutes les lois de division de régner. Une partie de l'Homme s'endormit peu à peu, permettant à un mental froid et duel de gérer la Création.

C'était sans compter sur le pouvoir de l'Amour, qui au-delà des interdits et des lois humaines, essayait de réveiller le cœur assoupi des humains.

Aujourd'hui, la Terre est prête à prendre un grand essor et ses habitants aussi. L'Humain est essentiellement bon, et si souvent il a cru perdre sa route, il y a toujours en lui l'étincelle de l'Amour qui veille, et qui le réveille à chaque étape du chemin qui est sien.

Ce que nous avons appris en regardant vivre les Hommes de la Terre, c'est que l'Amour reste présent en vous, au-delà de tout ce qui peut arriver. Aussi sombres que soient vos vies, l'espoir, comme une petite goutte de lumière, est toujours là. Nous savons que dès que vous en aurez conscience, vous pourrez la faire grandir cette lumière, car c'est elle qui en vous transformera l'impossible en possible. »

Le Sage n'est plus avec nous et c'est avec les deux couples que je me dirige vers une autre pièce de la maison. Là, comme dans la plupart des habitations, un écran géant occupe l'un des murs. Nous prenons place face à lui, tandis que mes amis et les hôtes continuent de m'expliquer :

« Ce que tu vas voir ici concerne un épisode très bref de nos vies de couples, mais il ne manque pas d'intérêt ! »

La pièce prend une atmosphère étrange aux couleurs hypnotiques et peu à peu, l'image qui se forme dépasse les limites de l'écran, pour donner la sensation de nous inclure dans la scène qui commence.

Un couple est là que je n'ai encore jamais vu. Il se promène tendrement enlacé le long d'une plage de sable fin, lorsque tout à coup l'homme laisse sa compagne pour se diriger vers l'eau bleue qui s'offre à lui. Rien d'étonnant jusque-là et j'attends… Les deux êtres sont nus et la voix de Sumalta pénètre en moi pour me murmurer :

« Ici, nous n'avons aucune honte de nos corps et nous avons parfois des difficultés à comprendre vos réactions de *pudeur* comme vous l'appelez. »

C'est alors que l'homme surgit des flots et se dirige vers sa compagne qui prend la fuite en riant. Les deux êtres s'enlacent dans un jeu amoureux, roulent sur le sable fin dans un éclat de rire et je ne vois rien d'autre que des amants joyeux quand soudainement tout devient silencieux. Les deux êtres sont maintenant face à face, distants de quelques mètres l'un de l'autre. Dans leur regard, il y a l'Amour… Peu à peu, de leur centre sacré, de divers endroits de leur corps, de leur cœur, de leur tête, de leur sexe, de longues bandes de lumière virevoltent autour d'eux. Cette danse sacrée se propage en eux comme une onde de joie et leurs corps dansent dans une extase infinie ! Cet orgasme à distance est d'une beauté, d'une plénitude, d'une joie difficiles à imaginer. Le mot *sacré* est sans doute à cet instant le seul qui me parvienne.

Sur le sable à présent, il ne reste que les deux corps étendus l'un près de l'autre dans une détente absolue.

L'écran s'éteint et j'entends la voix de Sumalta qui reprend au fond de moi :

« Ce que tu as vu est l'une des manifestations de l'Amour. Sur Terre, des liens identiques et subtils se créent entre tous les êtres avec lesquels il y a un contact affectif. Seulement, vous ne les voyez pas et souvent même, vous ne les sentez pas. Il existe des milliers de liens avec des formes et des qualités différentes. Les uns sont bénéfiques, les autres peuvent être nocifs et vous en resterez dépendants aussi longtemps que vous ignorerez leur existence. Dis simplement aux hommes de la Terre que tous les êtres humains ont des liens entre eux qui ne dépendent pas de la proximité physique, ni de la vie, ni de la *mort*. Ces liens qui relient deux êtres sont parfois d'amour, mais ils peuvent aussi être de dépendance ou de soumission, d'agressivité ou de haine et les amoureux ne sont pas seuls à en créer.

— Vous parlez de ce que je viens de voir comme l'une des manifestations de l'Amour. Cela veut-il dire qu'il y en a d'autres, et lesquelles ? »

Notre hôte prend alors la parole :

« Crois-tu réellement que les enfants ici naissent dans les roses ou dans les choux selon l'expression de la Terre ? »

Dans son sourire, je devine un enjouement juvénile et une pointe d'humour... Il continue sans attendre de réponse de ma part :

« La planète Vénus est l'école par excellence pour tout ce qui touche à la sensualité, aux arts et à l'amour. Nous ne sommes pas insensibles à la courbe d'un dos, au velouté de la peau, à la douceur d'une caresse, à la chaleur d'un baiser. La Beauté est, pour nous tous ici, un élément qui fait partie intégrante de notre vie et l'amour sur le plan physique est l'une de ses composantes. Lorsque nous enlaçons nos corps pour qu'ils ne deviennent qu'un, lorsqu'à travers cette fusion sacrée nous atteignons à l'Unité primordiale, alors autour de nous se créent des mondes qui sont des mondes d'amour. Ils s'échappent de nous comme de petites étincelles de lumière qui peu à peu prennent forme et deviennent autonomes. D'autres fois, des entités qui ont prévu de s'incarner chez nous utilisent ces rampes de lumière pour densifier leurs cellules. Mais quelle importance ! L'Amour sera toujours le jaillissement de la Vie, sous quelque forme que ce soit.

L'Amour physique n'est jamais seul et il permet de redonner la divinité à chacune de nos cellules. Par l'intermédiaire des caresses, des baisers, des paroles aussi nous faisons ressortir ce qu'il y a de plus beau en chacun et c'est alors que ce qu'on appelait défaut devient qualité. Tout, absolument tout, a de la Beauté pour celui qui le perçoit ainsi, et celui qui se voit beau dans le regard de l'autre le devient aussitôt... N'est-ce pas aussi une facette de l'Amour?

L'extase n'est pas réservée, comme certains pourraient le croire aux ascètes ou aux abstinents de la sexualité! Il existe plusieurs façons d'atteindre l'état de grâce dont font mention certains de vos écrits. L'amour physique, lorsqu'il est accompagné de l'Amour envers un être et envers la Vie, y mène assurément. Lorsque nos corps sont enlacés dans une étreinte sublime, nous savons que nous montons à travers les douze portes qui le composent, et qu'à chacun de ces passages nous traversons un état de nous-même qui nous conduit à la Divinité. Que cette Divinité soit en nous ou hors de nous n'a aucune importance, car nous ne pouvons réellement dissocier cela. Mais je vais ajouter un élément, car pour atteindre cet état il est quelque chose que vous ne pouvez éviter.»

Notre hôte s'arrête quelques instants, le temps de me laisser peut-être percevoir un embryon de réponse.

«L'engagement!» Mon exclamation le fait sourire:

«En effet, l'engagement doit être absolu, complet sur tous les plans, ce qui, je crois savoir, n'est pas facile sur Terre. Atteindre à l'extase demande une présence, un amour total. Vous ne pouvez agir mécaniquement en pensant à autre chose, car chaque porte demande une présence immédiate que ce soit sur le plan physique, intellectuel, affectif ou autre. S'offrir, c'est s'ouvrir sans crainte d'être touché, c'est être vulnérable et atteint. Cela demande une grande confiance et une force intérieure pour que l'abandon ait lieu et que la vacuité soit!»

Je pense à l'homme que j'aime et avec lequel j'aimerais réussir tout cela, et je souris :

« Y a-t-il des divorces et des séparations sur cette planète : et que deviennent ceux qui n'ont pas envie d'être en couple ? »

Dans le silence qui suit ma question je saisis une musique qui n'est pas celle de la nature. Elle doit être présente depuis le début de mon arrivée, mais je ne la perçois réellement qu'en cet instant.

La réponse incisive et précise vient de Djarwa :

« Il ne peut y avoir de divorce là où il n'y a pas de mariage ! Cette institution qui fut créée très artificiellement ne concerne que la planète Terre. Nous n'avons pas de biens à protéger, d'héritages matériels à transmettre puisque rien ne nous appartient au sens où vous l'entendez. Légaliser une Union n'a aucun sens pour nous, quels que soient les textes ; *l'autre* ne nous appartient pas et aucune loi ne pourra changer cela ! »

Après quelques instants, Djarwa continue :

« Par contre, nous célébrons l'Union d'une manière tout à fait symbolique, et des êtres que nous estimons et que nous aimons y participent joyeusement. Ceci est essentiel à nos yeux, car ce que nous symbolisons à travers des gestes et des mots, prendra corps dans tous les plans, de notre planète et de nous-mêmes, des plus physiques aux plus subtils. Nous pourrions parler de célébration, non pas au sens religieux du terme mais au sens symbolique *porteur* de joie. Nous n'avons pas de prêtres comme sur Terre, mais il est des êtres qui sont des sages dans le vaste domaine de l'avance des religions sur Terre. Ils connaissent le sens des symboles et de certains rites. Mais là encore, le mot *rite* est trop restrictif dans le sens actuel que lui donnent les hommes de la Terre. Notre *religion*, si l'on veut employer ce mot, c'est cheminer chaque jour un peu plus vers le Grand Soleil de notre cœur, pour y découvrir un Amour qui ne peut se quantifier, se décrire, au risque de le limiter. C'est connaître les grandes Lois de l'Univers qu'aucun homme ne peut dicter ni diriger... C'est peu à peu dépasser ce qui a un nom et une forme, pour aller vers le Sans Nom. C'est nous dépouiller de nos écailles pour rejoindre notre Essence.

Se séparer, se quitter est parfois possible mais nous ne le faisons pas par dégoût ou par colère, car nous savons tous que ce qui a été réveillé en nous par l'autre demande à être soigné puis guéri, avant d'entamer autre chose quelle qu'elle soit. Nous ne pouvons fuir des aspects de nous que nous ne supportons pas, vous le savez aussi : il nous faut les résoudre ; si nous le faisons, alors nous acceptons de voir ces aspects nous suivre jusqu'à leur complète dissolution.

— Il me semble que sur Terre nous commençons à percevoir cela aussi, ne puis-je m'empêcher de m'exclamer !

— En effet, acquiesce Djarwa, mais ici la séparation a lieu lorsque deux êtres ont fini ce qu'ils avaient prévu d'accomplir ensemble. À ce moment-là, l'Amour qui les lie peut les réunir à nouveau pour un nouveau périple, sinon ils s'acheminent l'un et l'autre vers un avenir différent. Cela n'occasionne pas de déchirure ni de blessure, car il n'y a dans cet acte ni colère ni agressivité, ni sentiment d'échec ou de dévalorisation ; et les enfants s'il y en a, sont assez *adultes* pour comprendre qu'aucune vie n'appartient à une autre, sans un consentement mutuel. De toute façon, l'enfance est ici de courte durée, notamment eu égard à la longévité sur notre planète qui peut s'étendre sur plusieurs centaines de vos années.

Donner naissance à un enfant n'est d'ailleurs pas le but de vie des couples sur cette planète. La Création est à tous les niveaux et sous différentes formes. Des mondes complets sont créés par nos actes et nos pensées et nous sommes conscients d'en être aussi les créateurs, géniteurs et parents. Sur Terre, vous pensez bien souvent que donner naissance à un enfant est la seule création possible et la seule raison de vivre. Vous voyez en cela une initiation, et pourtant : combien sont parmi vous des créateurs conscients et aimants ? La Vie est partout et nous pouvons lui donner corps à chaque instant, quel qu'il soit. Je sais combien la fierté parentale est grande sur la planète Terre, mais cet acte de prêter des éléments pour qu'une Vie puisse éclore est à la portée de tous, conscients ou non, aimants ou non ! Parfois, des êtres ne sont parents que par les éléments génétiques qu'ils apportent, mais ils sont tellement fiers de leur création qu'ils l'attachent par des liens de dépendance qui n'ont rien à voir avec l'Amour. ils tournent en rond autour d'eux-mêmes en abandonnant le monde, leur monde, au détriment de ce qu'ils croient souvent leur appartenir. Si vous saviez combien de vies autres vous créez parfois de manière insensée, inconsidérée, combien de mondes sont aussi vos créations laissées à l'abandon, vous ne vous fixeriez pas autant sur ce que vous croyez une partie de vous et qui pourtant ne sera jamais vous.

Tout ce que vous créez dans l'Amour, par Amour et avec conscience est une véritable Initiation. Le reste n'est que supposition et verbiage. La Vie qui veut s'incarner dans un corps trouve toujours le moyen d'y arriver. Vous êtes le prétexte, l'occasion de ce voyage vers la matière, mais celui qui reçoit la véritable initiation est *celui qui s'incarne*. Nous savons que nous sommes là pour aider des êtres à venir et à avancer, mais jamais nous ne tirons de cet acte un orgueil quelconque, ni d'obligation. Lorsque d'un commun accord, nous accueillons un être chez nous, nous lui accordons toute notre attention et nous lui donnons toute son importance, mais en cela il n'y a ni fierté ni culpabilité. Les liens qui se créent sont parfois très forts, d'autres fois, très passagers, mais cela n'a rien à voir avec l'acte de créer ni avec une quelconque nécessité. »

Tout est tout à coup très calme et j'entends à nouveau cette musique que je ne saurais définir, mais qui apporte une nourriture bienfaisante à mon âme.

« La musique, comme toutes les formes d'art, est très présente chez nous. »

C'est la voix de mon hôtesse qui rompt cet instant musical et poursuit :

« Elle apaise nos sens ou au contraire les amplifie, dans l'acte d'Amour par exemple. Elle se glisse en nos âmes et nos corps, telle une onde de joie, et ouvre les portes de la Vie en nous pour y intensifier l'impact de l'acte Sacré.

Les sons que nous émettons viennent de nos organes vocaux, mais parfois nous utilisons des instruments qui pourraient par certains aspects ressembler à vos lyres. Les cordes sont cependant de la lumière densifiée et les diverses couleurs qui les composent donnent une infinie variété. D'autres instruments sont créés sur ce même principe et nous participons à de petits rassemblements musicaux que nous apprécions beaucoup... Écoute et regarde avec attention. »

J'entends toujours ces sons mélodieux tout en essayant, cette fois, d'en percevoir la qualité. Mon mental qui veut savoir m'empêche en définitive de recevoir en moi ce qui est émis par ces sons et d'en apprécier toutes les possibilités. Je m'en aperçois rapidement, et à nouveau la détente s'installe plus encore que précédemment car cette fois je capte *en conscience* ce qui se passe en moi. C'est un peu comme si des milliers de petites lumières me pénétraient et me nettoyaient. Un massage subtil et réparateur jusqu'au fond de l'âme, serait peut-être une description plus juste. Mais je renonce à trouver les mots pour décrire l'indescriptible. Je sens derrière moi une présence puissante et rayonnante qui me fait me retourner aussitôt. Un Grand Être en vêtement blanc est là, près de moi. Je ne l'avais pas entendu venir, mais cela ne m'étonne plus guère étant donné la façon légère de se déplacer, ici.

Son sourire bienveillant me met tout de suite en confiance et d'une voix musicale j'entends au plus profond de moi :

« J'aimerais te parler ici de ceux qui ont choisi de vivre seuls. Je dis *ont choisi* parce qu'en effet, c'est bien le cas.

254

Celui qui vit seul pour des raisons qui lui sont propres, fait une expérience différente mais tout aussi essentielle de ceux qui vivent en couple ou en famille. Ils créent souvent sur un plan plus subtil, et certains parmi eux sont d'un grand niveau de conscience. Leur être entier est voué à des activités planétaires ou interplanétaires et leur temps est consacré à l'ensemble des humanités, et non à quelques-unes. Cela arrive aussi aux couples qui n'ont pas d'enfants et œuvrent dans le même sens.

C'est aussi une question de logique, car les énergies de ces êtres n'étant pas consacrées à quelques personnes privilégiées, peuvent être utilisées de façon plus vaste. La sexualité pour ces êtres seuls existe également, bien que rien ne soit une obligation.

L'essentiel réside dans l'acceptation et la joie de ce que l'on s'est proposé d'accomplir, le reste n'est qu'extérieur à nous. Je sais que d'autres questions te seront posées sur la jalousie, la possessivité, la tromperie. La réponse découle de ce qui t'a été dit précédemment ! Celui qui vit avec nous ne nous appartient pas et nous ne le possédons pas ; cependant, ne confonds pas cela avec un manque d'engagement comme c'est bien souvent le cas sur Terre. Certains êtres de la planète Terre, prétendent ne pas souffrir de jalousie lorsque leur compagnon ou leur compagne dirige leur amour ailleurs. Il arrive bien souvent que ces êtres, par simple peur de souffrir ne se soient jamais totalement engagés. Ils ne souffriront pas en effet de jalousie, mais atteindront-ils la plénitude et l'expansion de ceux qui n'ont pas peur de dire *oui* et de dire *je t'aime* avec tout ce que cela comporte d'ouverture, de fragilité et de Don ?

Aimer sans attendre de retour, sans peur d'être blessé, en ayant confiance en l'autre, ne laisse pas de place à la jalousie.

Sur cette planète et sur toutes celles de la confédération, on ne se trompe pas entre partenaires, car le physique n'est pas la priorité et personne ne reste s'il n'aime pas ou plus. Il arrive parfois qu'il y ait des amours multiples mais cela reste rare et concerne quelques êtres qui traversent une expérience particulière, avec le consentement de chacun. C'est un peu comme une grande famille d'Amour. L'Amour a différentes facettes et ce sont celles-là que nous pratiquons toujours dans nos vies.

Aimer un enfant, un ami, les animaux, la Vie ou la Nature n'est-ce pas là diverses manières d'exprimer l'Amour? L'Amour est Un, mais ses manifestations sont multiples. Je n'ai pas de leçons ni d'enseignements à donner, vous n'en avez que trop reçus... Apprenez simplement à goûter aux instants de votre Vie et donnez-leur la dimension de l'Amour; alors, votre Vie deviendra comme un grand Soleil et la Vie vous habitera vraiment! Agissez sans arrière-pensée, sans devoir, sans remords et sans culpabilité, faites de chaque acte un don de joie, décrispez-vous et votre quotidien sera un jeu avec lequel vous aimerez jouer car cela aussi, c'est L'Amour!

Si je vous dis: détendez-vous, bannissez les craintes et les jugements de vos jours et de vos nuits, cela ne signifie pas: ne faites rien et acceptez tout! Faites simplement de la Vie un jeu dont chaque jour vous apprenez les nouvelles règles. Ces règles changent parfois superficiellement, à vous de bien jouer et de bien les connaître. Si le rire règne dans vos cœurs, l'Amour y aura sa place. Vous vous tracassez souvent inutilement pour un futur qui n'est pas encore là, ou un passé regretté qui n'est plus, tandis que l'instant présent attend de vous que vous lui donniez corps. Aimer s'apprend, et pas à pas chacun découvre, à travers les diverses facettes de l'amour, ce qu'est l'Amour. Un jour arrive où il devient Amour, mais ce jour-là son regard cesse d'être extérieur à lui, il ne sait pas alors qu'il est Amour puisqu'il EST. »

Le grand Être s'est tu, et avec douceur je sens qu'il scrute en moi ce qui pourrait être une ultime question sur le sujet.

« Je comprends que la question de l'homosexualité puisse paraître importante sur Terre. Ici comme tu le sais, tout est possible et nous n'avons aucun interdit. l'Amour est toujours l'Amour quelle que soit sa facette et il arrive que des êtres s'unissent dans leur cœur. Cependant, les mœurs sont très différentes de la Terre. Il n'y a pas d'exaspération de la sexualité, ni quoi que ce soit qui puisse désacraliser l'Amour, qu'il soit sur un plan physique ou subtil. Ce qui diminue, abaisse, avilit, n'existe pas ici, car nous ne connaissons plus, depuis longtemps, les maladies de l'âme qui rongent un être jusqu'à lui faire oublier sa dignité et sa divinité. »

Je sais que celui qui me sourit maintenant n'en dira pas davantage… Je le remercie d'avoir sondé mon âme, et d'un geste où je réunis mes deux mains au niveau du cœur, je le salue.

L'atmosphère du lieu est à la détente, et le petit groupe que nous formons se prépare à partir vers un autre rendez-vous.

Là encore, je suis prête à recevoir tout ce qui pourrait permettre à la Terre et à ses habitants de vivre avec plus encore de conscience, et surtout de Joie.

Chapitre 17

Mémoires et Guérison

Une nouvelle fois entourée de mon ami le Sage, de Djarwa et du nouveau couple, nous approchons d'une vaste entrée aux colonnes majestueuses. Je m'aperçois, peu à peu, que plusieurs corps de bâtiments, reliés les uns aux autres par des allées couvertes et fleuries, composent l'ensemble avec une harmonie inégalée. Cette fois cependant, contrairement aux autres constructions visitées jusqu'à présent, les unités principales révèlent une structure pyramidale d'une matière cristalline qui, curieusement, ne laisse rien voir de ce qui se déroule à l'intérieur.

En fait, je dénombre trois pyramides principales qui entourent un bâtiment central, ovoïde. La taille de ces pyramides n'est pas égale, car l'une dépasse nettement les deux autres et nous lui faisons face. Leur emplacement doit être minutieusement choisi en fonction de critères subtils, car une paix émane de l'ensemble et pénètre aussitôt celui qui franchit le seuil de ce lieu dont je ne connais pas encore la fonction.

Sumalta n'est pas avec nous, mais je ne m'en étonne guère, car il arrive parfois, au fil des expériences et des rencontres, que l'un ou l'autre de mes guides disparaisse vers des occupations, qui vraisemblablement ne me concernent pas.

À la suite de mes amis, je pénètre à l'intérieur de la plus grande des pyramides et nous longeons un couloir d'un blanc immaculé et diapré tout à la fois. Les parois des murs et le sol semblent vivre d'une vie autonome telle, que j'ai parfois l'étrange sensation que des personnages peuvent en sortir.

Les murs ont-ils capté les actes et les pensées des personnes qui y travaillent ou qui y viennent?... Est-ce ce que l'on appelle *la mémoire des lieux* ou s'agit-il d'un autre phénomène? Je ne sais. Pour l'instant ma question reste sans réponse et nous arrivons sur une petite place entourée de plusieurs pièces aux portes de couleurs diverses.

J'ai la joie de revoir Sumalta qui nous accueille cette fois dans une tenue blanche et irisée, à l'image du couloir traversé. Elle est vêtue d'une tunique serrée à la taille par une ceinture à la boucle de pierres précieuses aux reflets violets, et d'un pantalon assorti. Le col de sa tunique est un peu semblable à celui des maharadjahs, droit et ouvert, et la matière dont il est fait confère beaucoup de fluidité à l'ensemble.

Sumalta rayonne et je sens qu'elle est ici chez elle.

« C'est un peu cela, me dit-elle en riant, je viens dans cet endroit depuis très longtemps. Je suis thérapeute et j'ai en même temps la charge du collège des thérapeutes. J'enseigne, je forme tous les êtres qui ont des aptitudes dans ce domaine. Je soigne également, et je fais partie d'un groupe de recherche avancée, avec d'autres chercheurs-thérapeutes des planètes confédérées. Les échanges réguliers qui sont nôtres nous permettent ainsi une avance rapide dans ce secteur. »

Tandis que Sumalta continue à me parler, nous avançons toutes deux vers une porte bleue qui s'ouvre devant elle sur un simple signe de sa main. Nous pénétrons dans une pièce où règne une pénombre douce qui me permet juste de distinguer deux fauteuils, dans lesquels nous prenons place aussitôt. Nous sommes devant un mur blanc qui semble éclairé de l'intérieur. C'est alors que, tout à coup, j'ai la sensation d'une présence dans la pièce, non pas d'une présence hostile ou gênante, mais insistante. De mon fauteuil pivotant je jette un regard circulaire lorsque, dans un siège que je n'avais pas remarqué en arrivant, je découvre un spectacle surprenant. Un être est là, à quelques mètres de nous, et me regarde attentivement. Il a une large tête au crâne très développé et aux grands yeux sans paupières. Sa tête repose directement sur ses épaules sans cou, et je perçois des membres longs et frêles qui accentuent le caractère étrange du personnage. Sumalta me regarde avec amusement tandis que l'être me dévisage et d'une voix rauque qui pénètre mon cerveau, prononce ces mots :

« Je suis thérapeute moi-même et je suis venu ici avec l'un de mes patients pour une consultation de Sumalta. La planète Vénus est réputée, de façon interplanétaire, dans le domaine des thérapies, et l'art de ton amie n'est plus à démontrer. Mon patient accepte que tu sois avec nous aujourd'hui parce qu'il a une confiance totale en Sumalta et que c'est elle qui a proposé ta venue ici. »

Sur ces mots, l'être se lève et à petits pas se dirige vers une lourde tenture qui cache un angle de la pièce, pour disparaître aussitôt.

J'attends pendant un moment qui me paraît assez long, lorsque je perçois le froissement de ce qui pourrait être un tissu. Deux êtres sortent l'un après l'autre de derrière la lourde tenture et s'avancent vers nous en trottinant. Le premier est le thérapeute tandis que l'autre doit être son patient. Il est nu, mais d'une nudité habillée… Sa peau est semblable à un vêtement lisse et beige, sans aucune marque de pilosité. Aucune trace de sexe n'apparaît qui puisse me permettre de conclure s'il s'agit là d'un être masculin ou féminin. De toute façon, je n'ai plus aucun point de repère habituel.

Sumalta demande à l'être qui nous salue de se placer devant le mur face à nous. Sur un geste de sa main, la lumière intérieure du mur varie et, peu à peu, se dessine une extraordinaire radiographie.

Je vois un cerveau énorme rempli de circuits, de circonvolutions, mais sa particularité est qu'il est un, c'est-à-dire sans aucune séparation, sans corps calleux comme sur Terre. Une autre image suit, il s'agit vraisemblablement de poumons. Ces poumons sont immenses par rapport à ce que je connais. Ils semblent respirer très lentement et les mouvements qui sont les leurs laissent une large place aux apnées respiratoires.

Sur l'écran apparaît maintenant ce qui devrait être la cage thoracique, mais là encore, dans une large cavité, un organe prend une grande place. Il bat de façon un peu irrégulière, à mon avis, et je pourrais y reconnaître un cœur si ce n'est que, là encore, cette cage thoracique ne comporte aucune séparation avec l'abdomen...

Le diaphragme est inexistant, de même que ce qui chez nous prend la place des intestins.

Cette fois, une image d'ensemble apparaît et je m'aperçois que l'être n'a pas trace de dentition quelle qu'elle soit... Ni petites, ni grandes, il n'y a pas de dents !

Sumalta pendant ce temps, commente :

« Sur ce plan plus dense, il ne paraît pas y avoir de problème majeur, mais le cœur manifeste quelques irrégularités qui laissent à penser que le nœud se situe à un autre niveau. »

Elle étend à nouveau la main dans un geste précis, et cette fois, sur l'écran, apparaissent de longues bandes colorées qui s'entrecroisent harmonieusement dans un ballet joyeux. Les couleurs sont toniques et lumineuses, mais de temps à autre, apparaît une bande d'un gris verdâtre qui laisse à penser que nous sommes près de comprendre ce qui entrave la tonicité de l'ensemble. Ces bandes arrivent de façons syncopées et sont plutôt reliées à la tête de l'être qui nous fait face.

« Je commence à comprendre de quoi il s'agit mais nous allons sonder un peu plus loin, car un événement accepté et compris d'une façon tout à fait personnelle, est à l'origine de ces scories qui traînent dans les plans subtils. »

Mon amie s'est adressée directement à l'être qui d'une voix rauque acquiesce :

« Je vois effectivement, de quel événement il s'agit. Je pensais l'avoir accepté intégralement, mais maintenant je sais que cela ne l'est pas par tous les plans de mon être. »

Cette fois, la personne est assise à nos côtés près de son thérapeute et regarde avec attention le *mur écran* qui ne tarde pas à laisser paraître de petites scènes éloquentes le concernant.

Tout d'abord, nous assistons à une réunion où des êtres identiques aux deux personnes à nos côtés, semblent débattre d'un point important.

« Il s'agit d'une question concernant la percée technologique de leur planète, me souffle Sumalta : ils doivent décider si l'avance peut avoir lieu en même temps que le développement de la conscience des habitants, ou s'il faut attendre que l'être intérieur soit plus développé avant d'offrir une technologie qui pourrait être mal utilisée si elle était prématurée. Cependant, sans cette avance, la planète risque de connaître des difficultés, momentanées certes, mais inutiles, d'après l'avis d'une partie d'entre eux. »

Deux êtres semblent au cœur de ce débat : chacun a l'air de bonne foi et soucieux du bien-être de l'ensemble. L'un d'eux est celui qui est avec nous aujourd'hui et qui défend âprement, dans la scène qui se déroule, la thèse du progrès.

Il propose que tous les efforts soient faits pour que la conscience collective suive le mouvement, mais vraisemblablement son avis ne retient pas l'unanimité et il quitte l'assemblée, rempli de dépit et de tristesse d'avoir, selon lui, échoué.

L'écran est maintenant éteint et une douce lumière baigne la pièce. C'est alors que l'être étrange met son siège face à celui de Sumalta qui prend alors ses deux mains dans les siennes. Il la regarde longuement, et en signe de déférence et de remerciement, il pose son front contre le sien. Quelques instants plus tard, il se lève en souriant.

« J'ai compris, dit-il, et je vais suivre vos indications : quelques jours ici, accompagné de mon thérapeute, dans les diverses salles de soin de cet endroit, me permettront de nettoyer plus profondément toutes les petites écailles qui se sont accumulées depuis cet événement. »

Sumalta et le thérapeute échangent alors quelques mots et se saluent avant que les deux êtres ne quittent la pièce, où nous restons quelques instants encore toutes deux.

Sumalta en souriant me dévisage :

« Je te dois bien quelques explications, car je sais qu'il y a des différences que tu aimerais mieux comprendre.

Ces êtres, vois-tu, viennent d'une planète où la nourriture dense n'existe plus depuis longtemps. Leur physique, et surtout leurs organes, sont adaptés aux nécessités de leur vie. Il en est ainsi partout, car rien de ce qui nous compose n'est simplement esthétique et ce, sur quelque planète que ce soit.

Ainsi, leur organisme ne comporte ni dents, ni système digestif tels que tu les connais sur Terre.

De même, ils ne se reproduisent pas avec des organes sexuels. Ils créent à l'aide de leurs pensées et prennent pour support plus dense des cellules qui les composent. Ce n'est pas une création de laboratoire, car l'Amour et la volonté sont les deux vecteurs indispensables à leurs créations, mais leurs sens physiques, si l'on peut parler ainsi, sont peu sensibles au toucher et ne leur procurent aucune joie particulière. Tu as dû remarquer combien leur peau est semblable à un vêtement lisse. C'est en partie la matière de celle-ci qui rend le contact physique plus imperméable, mais également le fait qu'ils éprouvent des joies beaucoup plus intenses par leur psychisme très développé. Leurs créations se font donc à ce niveau et c'est ainsi qu'ils donnent la vie.

Les poumons surdimensionnés que tu as pu voir sur l'écran s'expliquent par l'atmosphère qui règne sur leur planète d'origine et qui demande des pauses, des apnées beaucoup plus longues, pour que les particules de vie ainsi absorbées puissent se répandre à travers tout leur organisme. C'est aussi leur unique forme de nourriture et cela accentue encore leurs capacités psychiques ainsi que la durée de leur vie.

Comme tu peux le constater, rien n'est dû au hasard, et l'organe qui ne sert plus finit tôt ou tard par disparaître, pour laisser place à celui qui est nécessaire. Ce n'est pas simplement une question *d'utilité physique* mais d'évolution sur tous les plans et de direction que prend la Vie à travers nous pour s'expanser, pour s'exprimer aussi. Les mutations ne se réalisent jamais sur un seul niveau… »

Ma compagne réfléchit quelques instants et de belles volutes de couleurs dansent autour d'elle tandis qu'elle continue :

« L'absence de séparation concernant le cerveau et la cage thoracique se retrouve également chez nous et chez la plupart des peuples de l'Alliance. Tu en devines déjà la signification ! Nous ne l'avons plus, ou peu, car en nous, nous ne séparons plus. L'intérieur et l'extérieur, le beau, le laid, le masculin, le féminin et tous les opposés que vous pouvez imaginer, sont pour nous des facettes de la Vie, non pas sur un plan intellectuel qui ne modifierait en rien notre physique, mais sur un plan beaucoup plus profond... C'est un peu comme si chacune de nos cellules s'ouvrait à la Vie, sans restreindre, sans opposer, sans diviser, et chantait cette même Vie à travers toutes ses manifestations et ses apparentes contradictions.

Ce que tu as pu voir sur ce *mur écran* est une manifestation tangible de l'Unité à travers ce qu'il y a de plus dense en nous, mais cet écran a d'autres capacités, il est aussi capteur de mémoire !

— C'est donc pour cela que l'être a pu s'asseoir à nos côtés pour regarder des moments de sa propre vie, m'exclamai-je joyeusement !

— C'est ainsi, car la plupart des murs de ce lieu sont faits d'un matériau capable de saisir et de réfléchir les mémoires de ceux qui y pénètrent. Il est composé de milliers de petites cellules de cristal qui perçoivent les mémoires anciennes, les absorbent et, selon le *travail* à accomplir, les transmettent ou les transforment comme tu pourras le voir bientôt. Suis-moi, car la visite est loin d'être terminée. Ici, nous n'avons abordé que l'un des aspects de notre thérapie, un aspect que tu connais et qui pourrait, sur terre, correspondre à ce que vous nommez *lecture des auras*. Ce n'est que l'une de nos méthodes de *diagnostic* et je tenais particulièrement à ce que tu puisses assister à cette *radiographie* un peu particulière.

— Sur Terre, d'autres peuples et d'autres êtres ont dû recevoir un enseignement analogue. Est-ce toujours de vous qu'ils tiennent de telles pratiques ?

— Comme tu le sais déjà, nous avons enseigné ces méthodes, de soin à travers différents canaux et à diverses époques car il arrivera un temps où vos façons de comprendre la *maladie* vous paraîtront bien obsolètes. Viendra un temps où les plus honnêtes de vos thérapeutes s'apercevront qu'ils se dirigent vers un mur. De plus en plus de personnes parmi vous prennent conscience que la maladie est avant tout une maladie de l'âme. Peu à peu, ils recherchent d'autres moyens pour découvrir le nœud de cette âme qui appelle à l'aide. Les chercheurs actuels de la Terre dans ce domaine ont à franchir des obstacles majeurs à l'extérieur, mais aussi à l'intérieur d'eux-mêmes. À l'extérieur, parce que ces nouvelles méthodes vont permettre à la planète Terre et à ses habitants d'avancer considérablement. C'est un pas de plus vers l'autonomie, la liberté, la compréhension des corps subtils, un pas vers une planète sans maladie, où les nœuds seront défaits à la source sans nécessiter une incrustation dans le corps physique.

Mais ceci est un danger évident pour tous ceux qui veulent régner par l'argent et le pouvoir. Beaucoup de ce qui fait la richesse de certains, à travers les laboratoires, les drogues, tout ce qui conférait le savoir et le pouvoir à vos savants, est en pleine remise en question et sur le point de basculer. Vous êtes des mutants et en tant que nouveaux thérapeutes, vous représentez *Le Danger*. Comme tels, vous ne pourrez connaître la paix extérieure, mais les portes que vous ouvrirez ne se refermeront plus jamais et c'est cela qui doit vous porter. Qu'avez-vous réellement à perdre de fondamental au regard de ce qui se passe ? Rien ne vous appartient vraiment, excepté ce que vous êtes et c'est là l'essentiel.

Que cela ne vous mène ni à une lutte, ni à une course effrénée. Vers quoi, vers qui, courez-vous, à qui voulez-vous échapper sinon à vous-mêmes ? Ce ne sont pas vos actes qui importent mais la douceur et la force de l'Amour que vous saurez émettre. Alors, et alors seulement, les actes seront importants, car ils seront les enfants, les concrétisations de cette énergie qui vous porte.

— Et le danger intérieur, quel est-il ?

— Celui de vouloir pour l'autre, celui de vous croire indispensable, celui d'intervenir et d'interrompre un processus évolutif en cours... Le danger d'aider à tout prix. Je sais que pour la plupart des thérapeutes en recherche, le discours n'est pas dans le sens de l'intervention, mais combien une intervention peut-elle être cachée ! Toucher un être sur un plan subtil demande Amour et transparence. L'orgueil que peut connaître un thérapeute est sans doute son plus grand écueil. Soyez sans crainte cependant, car à travers cela aussi chacun évolue et se transforme.

Des êtres de cette planète se sont incarnés en Atlantide et y ont répandu cet enseignement ; les thérapeutes Égyptiens, ainsi que les Esséniens, les Indiens Hopis, les chamans Amérindiens bénéficièrent à leur tour de ces méthodes de thérapie. Des êtres guérisseurs de partout, de toutes les civilisations, captèrent des messages à ce sujet et l'un des êtres de la Hiérarchie de Shambhalla : Djwal Kool, se chargea à travers différents *channels*, selon votre terme actuel, de redonner vie à cet enseignement du futur. »

Tout en écoutant ce que me dit mon hôtesse, je remarque que les longs couloirs que nous parcourons semblent éclairés de l'intérieur, d'une lumière d'un bleu étrange, un peu voilé, qui a pour effet de me mettre dans un état de calme léthargique. Je me sens plus réceptive, moins encombrée de pensées diverses, plus vide et en même temps plus accueillante envers qui peut advenir.

Un geste de Sumalta suffit pour qu'un pan de mur glisse sur lui-même et laisse apparaître une belle salle baignée d'une lumière violette, transparente et douce. Des lits, placés à divers endroits, semblent attendre leurs occupants, lorsque tout à coup, sorti de nulle part, apparaît un grand être au crâne oblong et sans cheveux. Il porte un ensemble que j'ai déjà vu sur mes hôtes : une tunique à col droit et un pantalon qui fait corps avec lui. Ce qui émane de lui, procure une paix immense. Son regard d'un bleu limpide me pénètre, m'enveloppe. Chacune de mes cellules subtiles semble bénéficier d'un soin particulier qui me rassure, me tranquillise, me régénère au plus profond de mon être.

C'est cela aussi l'Amour, ne puis-je m'empêcher de penser !

C'est alors que, d'une voix de miel et de lait, il m'adresse ces mots :

« La seule véritable guérison qui puisse avoir lieu, c'est l'Amour qui la procure. Cet amour-là, n'a ni visage, ni forme. Il n'a pas de nom et ne s'arrête pas aux frontières de notre mental. Il est semblable à un soleil qui rayonne dans chaque particule de notre corps. Ici, nous ne soignons pas uniquement avec la lumière, le son, les symboles. Nous *sommes* le son, nous *sommes* la lumière, nous *sommes* le soin. »

Je me rends compte en cet instant, que lorsque je traduis ainsi par des mots une telle énergie, je lui fais perdre une partie de son impact, mais je n'ai pas d'autre moyen, et je souhaite de tout cœur qu'elle soit comprise par quelques-uns, au moins, dans toute sa grandeur et sa beauté !

À la suite du grand être, je me dirige vers un lit occupé par une forme que je distingue mal. Elle est recouverte d'un léger voile transparent et rosé, tandis qu'une onde lumineuse de cette même couleur semble parcourir son corps et le remplir d'une énergie nouvelle. Un son remplit l'espace à chaque passage de l'onde colorée, et je perçois au-dessus du lit et du corps allongé un grand arc de lumière sonore qui doit être à l'origine de ce phénomène particulier. L'être semble dormir et je regarde ce qui se passe, lorsque là, près de moi, je sens une présence, délicate et légère. À côté du lit, debout, il y a une autre forme plus fluide, plus mouvante. Une jeune femme me sourit :

« Je suis venue ici pour un nettoyage particulier de mon enveloppe plus dense. Mon *travail*, qui comporte de nombreux voyages interplanétaires, génère des tensions inhabituelles sur mes différents corps. Je peux m'en apercevoir facilement lorsque cela arrive, mais il ne m'est pas facile de procéder moi-même à un nettoyage de ce type. Ici, je sais que tout se passera bien car l'amour de celui qui s'occupe de ce lieu ne laisse place à aucune ingérence et j'ai une totale confiance en lui. Lorsque j'aurai pris tous les bains d'ondes colorées qui me sont nécessaires, alors, je serai de nouveau apte à continuer ma route en toute plénitude. »

Je vois les ondes de couleur, je les entends, je les sens, je les palpe presque, comme si elles étaient de la matière. Elles arrivent de l'arc lumineux et elles enveloppent le corps allongé, le traversent et se dirigent vers toutes ses parties les plus sombres, les plus obscures.

C'est alors qu'avec une force et une précision inouïes, elles balaient et nettoient tout sur leur passage. Cette lumière colorée, sonore et puissante ne laisse aucune ombre, aucune zone obscure sans se diriger aussitôt vers elle et l'éclairer d'une intensité nouvelle.

Cette fois mon interlocutrice réintègre son enveloppe et tout s'arrête. L'homme au crâne oblong est près d'elle. Il lui tend la main pour l'aider à se relever, tandis que de ses doigts je vois de longs filets de lumière qui continuent de balayer une dernière fois le corps de la jeune femme comme pour une ultime vérification.

Sur un signe du thérapeute, je les suis jusqu'à une pièce voisine, plus petite, où un seul lit central occupe l'espace.

La patiente s'allonge une nouvelle fois sur ce lit, tandis que l'être debout à ses côtés semble attendre quelque signe particulier pour commencer. La pièce baigne dans une lumière verte, d'un vert printemps, léger et vivifiant. Là encore, ce sont les murs, le sol et le plafond, qui semblent émettre une telle luminosité.

Je regarde attentivement, comme me l'a suggéré l'être auparavant, et en quelques instants je vois une enveloppe colorée, ou plutôt irisée, entourer le patient et le thérapeute. Celui-ci semble écouter. À mon tour je fais de même : c'est alors que je perçois un souffle à peine audible, un bourdonnement qui vient de l'intérieur de la personne allongée et qui, peu à peu, s'expanse jusqu'à devenir une onde sonore de belle amplitude. Est-ce moi qui suis en cet instant plus apte à la ressentir, ou se fait-elle entendre plus précisément ?

« Les deux, me murmure une petite voix que je ne connais pas… Chaque corps possède une harmonique qui lui est propre, mais l'attention que l'on porte à celle-ci, est apte à amplifier cette musique… Écoute mieux cependant et tu entendras une petite note qui cherche encore sa route. »

Je suis plus attentive, sans toutefois faire intervenir mon mental, ce qui pourrait tout arrêter… Je perçois une mélodie, une musique émise par le corps, où seul un petit son, non accordé à l'ensemble, surprend. Au bout de quelques instants, je ne discerne plus que lui et l'endroit d'où il sort. Pour mieux le capter, j'ai fermé les yeux. Le petit bruit discordant, continue, lorsque tout à coup, un son puissant comme une vague de la mer, l'emporte, le pétrit et le recouvre jusqu'à lui rendre sa note initiale. La note aigre-lette et discordante a disparu en l'espace de quelques ins-tants et le chant magique continue sous mes yeux grands ouverts.

Je vois l'onde lumineuse : elle est matière dense et tra-verse l'espace sous la direction du grand être. Le son, la lumière ne viennent pas de lui : ils sont partout, ils vien-nent de si loin que je n'en vois pas la source. Ils se diri-gent vers lui, non pas vers une partie de lui, mais en lui, dans tout ce qui est lui. Son corps dense est presque trans-parent tant la lumière est partout ! Il est lui aussi éclairé de l'intérieur et aucune zone d'ombre ne transparaît plus. Pureté, limpidité sont les mots qui me viennent à l'esprit devant une telle scène.

Maintenant, le son et la lumière passent par ses mains, son regard, sa voix, mais aussi par tout son corps. Il les dirige vers le corps de sa patiente qui semble dans un repos parfait et là, tout ce qui restait, dans les plans plus subtils de son être comme ombres, poussières, nœuds est dénoué, désincrusté, illuminé.

Quelques instants plus tard, assis en lotus aux pieds du lit, dans une attitude de profond recueillement, le théra-peute prie. Je ne perçois pas le contenu de sa prière mais je sais, je sens, qu'il s'agit d'un remerciement.

La petite voix que je ne connais pas s'immisce à nou-veau en moi :

« Remercier les forces qui sont venues aider est un acte d'amour et d'humilité au sens noble de ce terme. C'est aussi accepter d'être un pont et non l'acteur principal...

Mais être un pont, n'est-ce pas là l'essentiel ? Le reste dépend de la route que doit emprunter chacun et nul ne peut en juger en dehors de celui qui la vit. »

L'être au crâne oblong est debout à mes côtés, tandis que la jeune femme, souriante et nimbée d'un halo lumineux, nous quitte après l'avoir chaleureusement remercié.

« Je ne souhaite pas ici te parler des portes du corps qui permettent de transformer toute énergie qui y circule en nourriture bienfaisante ou déstabilisante. Cela a déjà été décrit tant de fois sur Terre... Sache simplement que chaque organe n'existe que par l'utilité qu'une âme peut en avoir, comme tu as pu t'en rendre compte lors de cette radiographie un peu particulière. De même, ces organes n'ont jamais une fonction ni un emplacement dus au hasard. Les Êtres des Éléments qui ont présidé à la construction de l'enveloppe physique et éthérique, ont mis tout leur Amour dans cette architecture sacrée qu'est le *Temple-corps* de l'Homme. Vous êtes de la Lumière qui a pris corps et comme tel, vous ne pourrez obtenir de guérison complète qu'en prenant en compte toutes les dimensions de votre être.

Vous êtes contenus en entier dans la plus petite de vos cellules, vous vivez dans chaque organe, dans chaque parcelle de votre corps et pourtant vous n'êtes pas votre corps... Si le son qui est émis par votre corps fait apparaître quelques distorsions c'est que chacune de vos pensées, de vos émotions, de vos mémoires s'immisce en vous et parfois s'incruste, se cristallise jusqu'à ce que la partie de vous qui est touchée appelle à l'aide. Alors, bien souvent sur Terre, on endort ce qui est douloureux tandis que la pensée densifiée continue son chemin, plus cachée encore.

Endormir, oublier, ne permet jamais de résoudre un nœud qui nous étouffe. ce n'est qu'une illusion de paix entre deux tourmentes.

Viens car j'aimerais te montrer quelque chose à ce sujet. »

Tout en cheminant vers une destination qui m'est encore inconnue, le grand Être reste silencieux ; un silence léger et apaisant qui repose l'âme et ne donne aucune envie de poser d'autres questions.

La salle qui nous accueille est à l'intérieur de l'une des petites pyramides que j'avais pu remarquer lors de mon arrivée. Un petit groupe de quatre personnes est déjà là et semble occupé avec l'une d'entre elles, plus précisément. Elles nous sourient et nous montrent d'amples fauteuils très bas qui pourront nous accueillir par la suite. La pièce est vaste et les murs, le plafond et le sol donnent la curieuse sensation d'être suspendus dans le vide. Les murs, plus encore que dans les autres lieux, semblent contenir des milliers de petits tentacules prêts à absorber, à digérer, à transmettre des informations venues d'on ne sait où.

L'être au crâne allongé sourit :

« Ce que tu perçois est en partie juste. Ces murs ont des propriétés très particulières. Nous sommes ici sous la pyramide de guérison des mémoires et nous allons assister, dans cette salle, à l'une des innombrables possibilités proposées pour nettoyer les souvenirs qui n'ont plus leur raison d'être.

Ici, comme sur Terre, nous gardons parfois des empreintes d'événements non résolus dans cette vie ou d'autres. Ces événements non évacués constituent un frein dans le développement de nos consciences et entravent parfois notre marche de curieuse façon. Il arrive que nous gardions dans un recoin de notre mémoire la marque d'un événement qui, même une fois passé, continue son impact et crée en nous des réactions, des peurs inexpliquées ou inadaptées aux circonstances. Cela dure peu ici, car nous apercevons très vite ce qui peut engendrer ces perturbations dans nos comportements. Dès que nous en avons conscience, nous venons dans l'une de ces salles, accompagnés ou seuls, afin de faire le point. S'offrent alors à nous diverses possibilités : la première consiste à revoir la scène à l'origine de cette mémoire qui nous encombre et à laquelle nous n'avons pas mis un terme. Nous savons tous que rien jamais ne s'efface mais qu'il ne sert à rien non plus, de vouloir oublier un fait mal compris. Prendre conscience de ce qui en nous créé une perturbation, est donc un élément essentiel. Les murs, le sol et le plafond de ce lieu sont créés dans un matériau qui permet de capter puis de restituer la mémoire de tels faits.

La deuxième possibilité offerte dans cet endroit est de changer la façon dont nous avons appréhendé un événement lointain. Ceci va immédiatement effacer l'ancien impact, pour le remplacer par la nouvelle donnée. Ainsi, toute réaction antérieure due à cet événement du passé devient inexistante.

La troisième possibilité consiste à changer une partie de la scène du *passé* pour en créer une nouvelle. Cette dernière possibilité demande beaucoup plus de vigilance car toucher à l'événement lui-même crée immédiatement une répercussion dans le *présent* de l'être qui le vit. Il y a besoin, à ce niveau, de l'aide de nos plus sages parmi les *thérapeutes* des mémoires.

Je schématise bien entendu, ce qui pourrait être long et fastidieux à expliquer. Il est évident que les mémoires elles-mêmes sont sur plusieurs plans et à différents niveaux. Elles peuvent appartenir aux sens que nous avons, être des mémoires sensorielles, tactiles, olfactives et affectives. Nous tenons compte de tous ces paramètres, avant de procéder à l'effacement ou au remplacement de quoi que ce soit. Cela ne peut se faire sans l'accord de celui qui vient pour revivre ce moment. Sa participation est très active dans le processus. D'autre part, rien ne peut être modifié s'il n'a pas été compris ou résolu auparavant... Mais pour tout cela, il y a un élément essentiel qui est à la base de cette transformation instantanée : il s'agit du *temps*.

Notre notion du *temps* est telle que le passé qui est contenu dans notre présent peut-être modifié et que cette opération agit immédiatement sur la vie de l'être qui la crée. Pour cela, il faut savoir que passé, présent et futur ne sont que des énergies modifiables dans l'unique présent qui est le nôtre. Lorsque cette notion sera évidente sur la planète Terre, il sera beaucoup plus aisé de vivre sa propre vie, sans ingérence d'éléments dont vous n'avez plus nécessité et qui, pour vous, appartiennent à un *passé* bien souvent oublié. »

Les membres du petit groupe se sont maintenant installés autour de l'un des leurs, chacun dans les confortables fauteuils bas, au centre de la pièce. Nous prenons place à leurs côtés et formons ainsi une sorte de demi-cercle autour de celui qui semble être l'acteur principal du moment. Celui-ci est sur un siège un peu différent, aussi bas mais plus allongé que les nôtres.

Un silence épais et dense imprègne l'espace, et les conversations animées qui occupaient les participants auparavant semblent s'être éteintes comme par magie. J'ai la sensation d'être dans une cabine insonorisée, tandis que la lumière qui doit venir des murs, du sol et du plafond devient d'un blanc laiteux. Je ne perçois bientôt plus les fauteuils et les autres personnes autour de moi. Je suis dans un monde opaque, où se succèdent par instant des zébrures bleutées qui disparaissent aussitôt.

Dans cet étrange univers, j'entends une musique qui semble venir de très loin. Je ne peux dire si ce que je perçois est une mélodie, mais je suis heureuse qu'elle soit là. L'atmosphère devient moins dense et laisse place, peu à peu, à une étendue désertique de dunes. Je ne vois rien d'autres que du sable à l'infini. Tout à coup, un nuage de poussière ocre déferle vers moi, révélant la présence de quelques personnes ou animaux arrivant à grands pas. En effet, quelques instants plus tard, je distingue à travers les volutes de sable, un groupe d'animaux curieux : un mélange de chameau et de buffle arrivent au galop, montés par des cavaliers masqués et revêtus de larges capes. Leurs armes ne laissent subsister aucun doute, ils sont belliqueux et tiennent des prisonniers qu'ils traînent à leur suite. Je perçois par je ne sais quel sens, que l'un des prisonniers enchaîné est le personnage qui est au centre de nous actuellement. Visiblement, une discussion a lieu entre les guerriers, dont le sujet concerne la garde ou l'exécution des prisonniers qui paraissent encombrer certains d'entre eux. La colère et le mépris se lisent dans les yeux des captifs. Il n'y a pas de peur, et lorsque l'un des conquérants essaie de s'approcher de l'un d'eux dans le but de parlementer, d'un seul geste de la main le prisonnier, qui doit être aussi le chef de ce groupe adverse, le repousse à des mètres en arrière.

La discussion semble impossible de part et d'autre et la décision d'éliminer les prisonniers semble celle choisie. C'est alors que quelque chose d'inattendu se passe.

La même scène recommence, mais cette fois le prisonnier belliqueux n'a plus le même regard. Il semble prêt à parlementer... Pourtant, son geste reste identique et le conquérant repoussé décide une nouvelle fois de les exécuter. Alors, à nouveau, le miracle se produit.

Cette fois la scène est rejouée et le prisonnier a complètement changé d'attitude. Il reste fier mais toute colère, tout mépris ont disparu. Devant mes yeux ébahis, la scène change totalement : les conquérants las, sans doute de traîner leurs conquêtes décident de leur donner une chance. Cette fois, ils parlementent et finalement, après d'âpres discussions, ils les laissent dans ce désert avec quelques provisions et des réserves d'eau. Après quoi, ils continuent leur route sans jamais se retourner.

Je suis tellement stupéfaite que je ne m'aperçois même pas que tout est redevenu comme auparavant. Nous sommes à nouveau dans la salle avec le groupe de personnes dans lesquelles je crois reconnaître, à mon plus grand étonnement, l'un des conquérants.

Je me sens un peu perdue devant ces scènes de vie qui ressemblent à des séquences de cinéma que l'on rejoue jusqu'à ce qu'elles correspondent à ce que souhaite le metteur en scène. C'est tout à fait surprenant et je me demande comment, en changeant ainsi une scène de vie passée, on n'interfère pas immédiatement dans la vie actuelle des acteurs ?

« C'est tout à fait ce qui se passe, mais crois-tu que cela n'est pas quotidiennement ainsi dans vos vies, sans même que vous puissiez vous en rendre compte ? Chaque choix de vie, chaque rencontre que vous faites, chaque décision, geste ou pensée, interfère dans votre vie et dans celle de millions d'autres dont vous n'avez pas même conscience.

Ici, les deux acteurs sont en présence l'un de l'autre et sur la demande de l'un deux, ils acceptent de rejouer la scène avec plus d'amour, de fluidité. C'est une scène très ancienne selon vos critères de temps, et elle encombrait la mémoire de ces deux personnes. Chacune va rejouer son rôle à sa façon, jusqu'à ce qu'elles soient toutes deux satisfaites du résultat. Ainsi se nouent et se dénouent bien des problèmes qui n'ont en fait aucune raison d'exister, autre que celle de permettre une prise de conscience. Lorsque cela se fait, lorsque l'un des acteurs d'une scène sent qu'il pourrait, ou *aurait pu*, selon votre notion du temps, agir autrement, alors il ne connaît ni culpabilité ni remords car il sait qu'il peut modifier certains des éléments de cette scène qui lui sont personnels, et ainsi, réparer ce qui n'est plus en accord avec ce qu'il est aujourd'hui.»

Celui qui m'a parlé est l'une des personnes du groupe et je crois qu'il s'agit du belliqueux conquérant de l'histoire Je ne peux cependant m'empêcher de demander quelques précisions:

« Alors vous pouvez tout faire, et même n'importe quoi, puisque vous vous dites que vous le réparerez ensuite!

— Parce que vous croyez que vous ne faites pas tout et n'importe quoi, aussi, sans savoir si vous aurez une seule possibilité de réparer?»

Celui qui m'a répondu ainsi n'a aucune agressivité dans la voix, aucun jugement, juste de l'amusement. Il continue:

« Lorsque nous agissons, nous savons que nous le faisons avec les données du moment, selon nos connaissances et notre croissance. Ici, nous ne faisons rien pour faire mal, pour détruire ou pour asseoir notre pouvoir personnel. Si nous le faisons, c'est alors par ignorance, par méconnaissance. Ainsi, lorsque notre évolution nous permet de comprendre autrement nos actions, à ce moment-là, il nous est toujours possible de les rejouer d'une nouvelle manière…?»

Je trouve cette perspective extraordinaire et me dis que bien des vieilles culpabilités qui sont nôtres pourraient se résoudre autrement, si nous savions comment agir ainsi.

« Vous le pouvez!… Votre pensée le peut et ce que parfois votre physique ne réussit pas à accomplir pour des raisons d'espace ou de temps, votre âme sur les plans subtils le peut. Des miracles se concrétisent ainsi à chaque instant et sur les plans les plus concrets.

Lorsque dans vos rêves les plus beaux, vous créez des moments de joie, des instants de paix avec ceux qui vous blessent ou vous contrarient, sachez que ces moments sont plus concrets que vous ne pouvez l'appréhender. Ce que vous créez ainsi, a tôt ou tard, une répercussion dans la matière dense de votre monde. Si je dis *tôt* ou *tard*, c'est parce que cette concrétisation dépend de la force, de la constance et de la profondeur avec laquelle vous allez lui donner corps.»

Sur ces derniers mots, l'être au visage oblong se lève, et après avoir chaleureusement remercié le petit groupe d'avoir accepté notre présence, il m'entraîne à sa suite vers un autre corps de bâtiment.

Épilogue

Ultime voyage

Nous pénétrons cette fois sous la vaste coupole que j'avais aperçue lors de mon premier contact en ce lieu. Au contraire des trois pyramides, tout ici est rond, enveloppant, et doux. La pièce aux immenses baies vitrées, de cette matière semblable au cristal, laisse passer une luminosité sans égale. La lumière est partout, mais cette fois elle ne vient pas seulement des matériaux qui composent l'endroit mais aussi de l'extérieur. Au centre de l'immense pièce, un jardin, un petit pont et de délicieuses cascades me font penser au premier vaisseau-mère de mon voyage. Une coupole translucide de ce même *cristal* laisse pénétrer les rayons de lumière, sans pour cela que la température ne soit trop excessive. Je suis étonnée, car nulle part je n'ai souffert du froid ou du chaud.

En réponse à ma question muette, j'entends la voix de mon guide du moment qui paisiblement commente :

« Dans nos constructions, nous tenons compte de ce que sur Terre vous appelez *ondes de formes*. Bien que ce terme soit bien faible au regard de ce que nous pouvons faire. Tout ici est créé selon l'énergie du lieu et le rôle qu'il doit remplir. Les formes des bâtiments sont telles que la température y est constante. Les nombres et les matériaux qui les composent permettent à certains types d'énergie de circuler et de se répandre selon les nécessités de ses occupants ou de ses visiteurs. Nous sommes arrivés dans le bâtiment central de cet ensemble réservé aux diverses thérapies. Ici, tout est pensé, tout est voulu pour que lectures et méditations puissent se dérouler dans les conditions les plus propices. La salle des méditations et visualisations est précisément au centre de ce bâtiment. Douze des nôtres y prient, et y méditent, pour maintenir une harmonie et une énergie sur toute la surface de la planète. Ces douze êtres – dont six sont d'énergie masculine et six d'énergie féminine – ont depuis longtemps transcendé la matière. Les intervalles de veille et de sommeil, de même que la nourriture, n'ont aucun sens pour eux. Ils se régénèrent en absorbant les énergies divines dont ils sont entourés et ne sont remplacés que lorsqu'ils souhaitent changer de corps ou de fonction. Leur être subtil voyage, et nous les rencontrons parfois dans leurs corps de lumière, lorsque d'importantes décisions sont à prendre dans l'un où l'autre domaine de la vie planétaire et interplanétaire. Chacun de ces êtres s'occupe d'un rayon précis, bien que chacun puisse intervenir dans tous les secteurs de la Vie. Chaque habitant de cette planète, une fois dans sa vie, consacre vingt et une de vos journées à méditer dans une pièce contiguë à la leur. Ainsi, un courant d'énergie est émis sans trêve, de jour comme de nuit. Un son part de ces douze êtres et ce son est la note fondamentale de notre planète. Il en existe ainsi une pour chaque planète et c'est son émission constante qui maintient la forme dense de la planète en question.

Viens et suis-moi, nous allons maintenant dans ce que tu pourrais comparer à une bibliothèque de la terre. »

À la suite de mon guide, je franchis un passage paré de verdure et de plantes, pour me trouver aussitôt dans un lieu qui foisonne de végétation et de sculptures. Sur des murs, des tableaux mouvants laissent apparaître des scènes diverses et je reste admirative devant tant d'harmonie et de beauté ! Pourtant je ne perçois aucun livre nulle part.

« Est-ce bien la bibliothèque, ne puis-je m'empêcher de demander avec étonnement ? »

L'être au visage oblong me regarde en souriant.

« Regarde bien, il y a des livres partout mais cette salle est plus spécifiquement réservée à un autre type de lecture. Ces statues et ces tableaux que tu as remarqués, viennent tous de différentes époques des nombreuses humanités, des planètes avec lesquelles nous sommes en contact. Si tu te places devant l'une d'elle, elle te racontera son histoire et ainsi tu découvriras le *futur* ou le *passé* qui est aussi dans le présent de chacune. »

J'aimerais pouvoir rester plus longtemps, mais apparemment mon guide en a décidé autrement. Je continue mon avance vers une autre salle adjacente à celle-ci. Là en effet, il y a des livres ; des livres aux dimensions extraordinaires, aux formes et aux couleurs diverses, mais rien ici ne sent le vieux ou le poussiéreux de nos bibliothèques ! Chaque ouvrage semble rayonner d'une lumière toute particulière qui lui confère une qualité spécifique.

« En effet, les livres se reconnaissent selon le rayonnement qui s'en dégage. Nous savons ainsi immédiatement nous diriger vers celui que nous recherchons. La lecture est tout à fait singulière ici. Elle a pour fonction d'enrichir une partie de nous, tout en nous reposant, mais elle ne demande pas d'effort soutenu. Regarde... »

Devant moi, face à des pupitres, des êtres ouvrent avec beaucoup de respect des livres dont ils semblent capter le contenu d'un simple regard et d'un geste de la main.

« Ils enveloppent la page ou ce qui les intéresse d'un seul regard. C'est un peu comme si les yeux transmettaient l'âme des mots contenus dans ces ouvrages. Ainsi, la lecture et la compréhension sont immédiates et à plusieurs niveaux. Nous avons dans ces pièces les principaux écrits de toutes les grandes civilisations... Et de celles en devenir ! »

À ces derniers mots, je ne peux m'empêcher de m'exclamer :

« Comment avoir des écrits de ce qui n'est pas encore, puisque chacun construit son futur continuellement ?

— Il est des événements et des découvertes qui sont déjà très construites, achevées sur les plans subtils par des penseurs créateurs, et qui n'attendent que le moment voulu pour se concrétiser. Il y en a qui ne verront jamais le jour sur un plan plus dense et qui se dissoudront, peu à peu, selon la loi de la pérennité ; mais regarde ces ouvrages. »

L'être tend la main, et prend avec beaucoup de respect, un grand livre sur une étagère de verdure. Il l'ouvre, et à ma grande surprise... Il n'y a rien, rien que des pages blanches !

« Pourquoi de tels livres, cela semble inutile ?

— Rien n'est inutile, et toute cette étagère est remplie de ces livres aux pages blanches. Ce sont les livres de la destinée des mondes et des civilisations à venir, selon votre notion du temps. Sur ces livres sacrés, les mots s'imprègnent, au fil des événements voulus et décidés par les peuples qui y vivent. Celui de la Terre est parmi eux ! C'est celui que j'ai ouvert pour toi. Rien n'est encore inscrit de ce que sera son futur, bien qu'il paraisse déjà choisi par certains d'entre les Hommes. Les mots ne s'y graveront les uns après les autres, que lorsque l'humanité terrestre aura pleinement décidé de ce que sera sa prochaine étape. Le mot est une entité douée d'une vie autonome et leur agencement n'est pas le fruit du hasard. Tout est encore possible, tout est toujours possible pour cette planète dont le cœur est si lourd et pourtant si grand !

N'attendez plus ! Quittez sans peur vos anciens schémas, vos protections illusoires, vos combats et vos luttes dérisoires. Rien d'autre que la Vie ne compte. Que ferez-vous de vos belles demeures, de vos comptes en banque et de vos voitures volumineuses si le monde bascule ? À quoi vous raccrocherez-vous si l'Amour n'est pas en vous ? Si la Joie ne vous habite plus ?

Choisissez vos priorités, et faites de vos instants de vie une onde de joie et de tendresse ! »

Le grand Être, à ces mots, referme avec précaution le livre de la Terre et le replace sur l'étagère végétale. Cette dernière image me laisse à la fois nostalgique et pleine d'espoir. Tout est encore possible... Il est encore temps... Ces mots restent dans mon cœur gravés à tout jamais. Je sens maintenant, très profondément en moi, que je vais une dernière fois regagner mon corps physique, car mon incursion dans ce monde va bientôt cesser... J'ai conscience de n'avoir fait qu'effleurer, que survoler certains domaines et j'ai espoir de pouvoir un jour approfondir quelques-uns d'entre eux.

Quand reviendrai-je? Je ne sais pas... et sans doute est-ce bien ainsi! Comment vivre au quotidien si la nostalgie d'un ailleurs me submerge, comment apprécier chaque instant, si mon âme reste sur d'autres plans d'existence, comment être totalement là et sourire, si mon cœur aspire à autre chose?

L'Être me sourit. Il comprend et son sourire me réchauffe, me rassure, m'enveloppe d'une énergie que j'aimerais garder toujours en moi pour les jours où la vie me paraîtra moins simple, moins facile, moins évidente.

« Tu as fait ce qui t'était demandé; pourquoi douter? C'est aux êtres humains de créer leur monde sans désir d'imitation. Il s'agissait de montrer comment il est possible de vivre autrement. Rien de plus. Vous n'avez que trop reçu de conseils et de leçons jusqu'à présent pour qu'il ne soit pas utile d'en ajouter. »

Je suis maintenant sur une belle plage de sable fin et face à moi, l'étendue d'un ciel étoilé et infini me tend les bras.

La clarté est celle d'une soirée de pleine lune. Je pense à la planète Terre, vers laquelle je retourne une nouvelle fois pour je ne sais combien de temps encore. Elle m'apparaît alors dans son halo gris bleu, dans son aura fatiguée mais de laquelle de belles lumières émanent par endroits, par moments, comme pour me dire : *je suis là, ne m'oubliez pas !*

À mes côtés, il y a Djarwa et Sumalta, mon ami le Sage, les enfants et leur petit animal, l'être au crâne oblong. Ils sont venus m'accompagner et me saluer. Ils sont assis à même le sable comme pour attendre mon départ et j'ai le cœur un peu lourd. Je sais qu'ils ne seront jamais loin et pourtant... ils me manquent déjà.

Je regarde une dernière fois cet endroit que j'aime, lorsque tout à coup une présence extrêmement puissante me fait me retourner.

Trois Êtres sont là, à quelques mètres de moi. Leurs grandes silhouettes mouvantes me les font reconnaître aussitôt. Ce sont les Grands Êtres dont j'ai pu assister à l'arrivée lors du buffet.

À cet instant précis, tout s'efface en moi. Toute nostalgie, toute question, toute crainte, toute envie.

Il ne reste de moi qu'une conscience immense qui sait qu'elle fait partie d'un Tout, qu'elle est reliée à Tout sans la moindre coupure, sans la moindre dualité, sans la moindre séparation. Je suis une énergie qui traverse l'Espace et le Temps et que rien ne sépare, car il n'y a même plus de *rien*.

Dans cet espace sans espace, dans ce temps sans temps, je ne perçois plus que trois silhouettes de lumière qui me saluent, et j'entends ces quelques mots comme un dernier message :

« L'initiation majeure est partout, toutes les fois que le cœur d'un Humain éclate d'amour, toutes les fois où il est Amour dans chaque cellule de son être... Le reste n'est que chemin pour arriver à ce point de non-retour. La planète Terre est en mesure aujourd'hui de s'affranchir des chaînes qui étaient les siennes jusqu'alors, mais elle ne le peut qu'avec les êtres qui l'habitent. Soyez libres à l'intérieur de vous, soyez prêts à être là où il le faut, et sachez que la Vie sous de multiples facettes est UNE, car rien jamais n'est séparé. »

Je suis dans un sas qui me ramène une nouvelle fois dans le corps que j'ai laissé si souvent pour faire ce voyage. Rien ne compte que ce PRÉSENT, que ces instants de vie que je perçois partout... et que j'Aime.

DERNIERS OUVRAGES D'ANNE GIVAUDAN

• PETIT MANUEL
POUR UN GRAND PASSAGE

Anne Givaudan, dans ce « Petit manuel pour un grand passage », nous propose des outils, des clés pour entrer dans un monde nouveau.
Que sont les quatrième et cinquième dimensions ?
Que faire pour y voyager plus sereinement ?
Comment éviter les pièges du parcours ?
Comment être co-créateur de cette nouvelle Terre ?
C'est ce que vous découvrirez dans ce livre qui se propose d'être « un guide du voyageur vers d'autres dimensions ».
Vous y trouverez des conseils venant d'autres Êtres qui, il y a bien long-temps, ont eux aussi connu ce grand passage.
Nous vous souhaitons un bon voyage et une lecture qui vous donne envie de co-créer.

• PRATIQUES ESSÉNIENNES
POUR UNE NOUVELLE TERRE

Les Esséniens étaient réputés pour leur sérénité et leur art de vivre en harmonie avec le Tout.
Ce livre-compagnon nous fait redécouvrir leur sagesse, non pas celle d'un mouvement d'il y a 2000 ans, mais celle qui va au-delà du temps, des mouvements religieux, politiques et combien humains.
Il s'adresse :
• À ceux et celles qui ont envie de célébrer et de partager les moments forts de leur vie.
• À ceux et celles qui veulent retrouver l'Unité avec la Mère-Terre, du plus petit brin d'herbe à l'immensité du cosmos.
En cette époque de transition où, bien souvent, nous perdons pied, il nous propose de rétablir un contact profond avec notre paix intérieure.

Pour plus d'informations sur les autres livres : http://sois.fr/livres/

DERNIERS OUVRAGES D'ANNE GIVAUDAN

• VOYAGER ENTRE LES MONDES

Un voyage astral : pour qui ? Pourquoi ? Et comment ? Quels en sont les dangers et les avantages ? Ces questions reviennent souvent. Anne Givaudan est une auteure connue depuis longtemps pour ses voyages dans les mondes subtils. Elle nous propose dans ce livre ce que jusqu'à présent elle avait toujours refusé : un guide pratique du voyage astral et des clés inédites.

Ceux qui veulent se lancer dans l'aventure, ceux qui ont vécu des expériences pas toujours faciles, ou ont fait de « mauvais voyages », ceux qui ont simplement envie d'en savoir davantage sur cette capacité trouveront ici ce qu'ils recherchent.

"Le moment est venu, dit l'auteure, car le monde est en mutation et de plus en plus nombreux sont ceux qui expérimentent la sortie hors du corps. Afin d'éviter des erreurs et des peurs inutiles et même nocives, je suis prête aujourd'hui à donner tout ce qui peut y aider. ».

• DES AMOURS SINGULIERES

Anne Givaudan, par cet ouvrage, nous amène à contacter ces hommes et ces femmes qui ont la douloureuse sensation que leur âme n'est pas en accord avec leur corps.

En dehors de tout jugement, de tout a priori et de toute classification, elle repousse les limites du connu pour nous plonger dans un monde inconnu. Que se cache-t-il derrière ces visages aux situations souvent tragiques ou culpabilisantes ? C'est ce que nous découvrirons derrière chacune des histoires de vie de ces êtres au parcours extrême.

Il n'est pas question ici de condamner ou de glorifier qui que ce soit, ni quoi que ce soit, mais simplement de découvrir une autre facette méconnue de LA VIE.

Pour plus d'informations sur les autres livres : http://sois.fr/livres/

• SONS ESSÉNIENS
La guérison par la voix

Ce livret accompagné d'un CD vous permettra de découvrir et d'expérimenter les sons de guérison que les Esséniens chantaient autrefois dans de multiples occasions, que ce soit pour équilibrer un corps, régénérer un organe, purifier un lieu, soigner la planète ou remercier la Nature.

Le Son est un élément essentiel de guérison de l'âme et du corps.

Il peut briser le cristal, guérir un corps physique, il est créateur et en lien avec des entités lumineuses et puissantes.

Les sons que vous entendrez, les exercices ou méditations que vous pratiquerez sont là pour vous permettre de vous ressourcer, de vous libérer des tensions accumulées, d'être en harmonie avec un lieu, de vivre avec davantage de joie et de bonheur... et c'est là un objectif essentiel pour notre nouvelle Terre.

• PETIT MANUEL
POUR UN GRAND PASSAGE

Anne Givaudan, dans ce « Petit manuel pour un grand passage », nous propose des outils, des clés pour entrer dans un monde nouveau.

Que sont les quatrième et cinquième dimensions ?

Que faire pour y voyager plus sereinement ?

Comment éviter les pièges du parcours ?

Comment être co-créateur de cette nouvelle Terre ?

C'est ce que vous découvrirez dans ce livre qui se propose d'être « un guide du voyageur vers d'autres dimensions ».

Vous y trouverez des conseils venant d'autres Êtres qui, il y a bien longtemps, ont eux aussi connu ce grand passage.

Nous vous souhaitons un bon voyage et une lecture qui vous donne envie de co-créer.

Pour plus d'informations sur les autres livres : http://sois.fr/livres/

CD DE MÉDITATIONS GUIDÉES

• **FORMES-PENSÉES** *(voix d'A. Givaudan et musique de D. Patriquin)*
Ce CD de sept méditations ouvre les portes de l'auto-guérison
des Formes-Pensée

• **VOYAGES VERS SOI** *(voix d'A. Givaudan et musique de L. Danis)*
Une célébration joyeuse d'un retour à SOI, des retrouvailles où les masques
de nos personnalités transitoires peuvent disparaître et laisser place à
ce que nous sommes vraiment : des êtres uniques au parcours unique.

• **ALLIANCE GALACTIQUE** *(voix d'A. Givaudan et musique de S. Human)*
La musique est composée autour de quelques notes entendues
lors de rencontres avec les êtres de Vénus.
Son objectif est d'ouvrir les cœurs à toute forme de guérison.

• **5ᵉ DIMENSION** *(voix d'A. Givaudan et musique de S. Human)*
Dans ce CD où l'énergie des mots conjointe à celle de la musique
apporte une puissante vague de transformation et de guérison,
je vous propose simplement de vous laisser porter
par la force qui émane de ces paroles.

Achevé d'imprimer par
l'Imprimerie France Quercy, 46090 Mercuès
N° d'impression : 70400 - Dépôt légal : octobre 2013

Imprimé en France